BEAR GRYLLS

MISJA PRZETRWANIE

PAZURY KROKODYLA

Pascal

Oddając w ręce czytelnika niniejszą książkę,
chciałbym złożyć hołd pierwotnym właścicielom
i opiekunom krainy, w której toczy się jej akcja,
ludom Yawuru i Jugun, a także obecnym i dawnym
członkom ich starszyzny – Bear Grylls

Mojej siostrze, Larze.
Najlepszej przyjaciółce.
Najlepszej siostrze.
Kocham Cię.

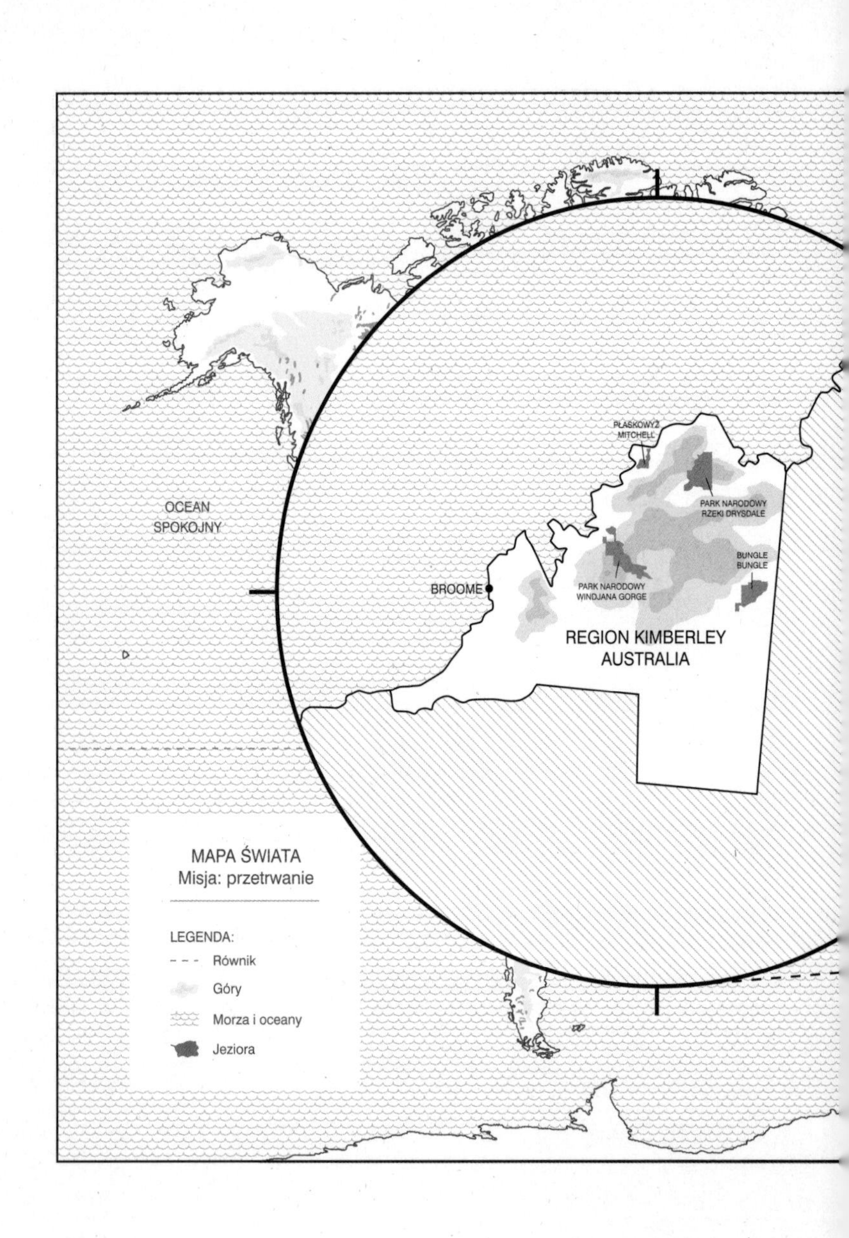
PŁASKOWYŻ MITCHELL
PARK NARODOWY RZEKI DRYSDALE
OCEAN SPOKOJNY
BUNGLE BUNGLE
BROOME
PARK NARODOWY WINDJANA GORGE
REGION KIMBERLEY
AUSTRALIA
MAPA ŚWIATA
Misja: przetrwanie
LEGENDA:
Równik
Góry
Morza i oceany
Jeziora

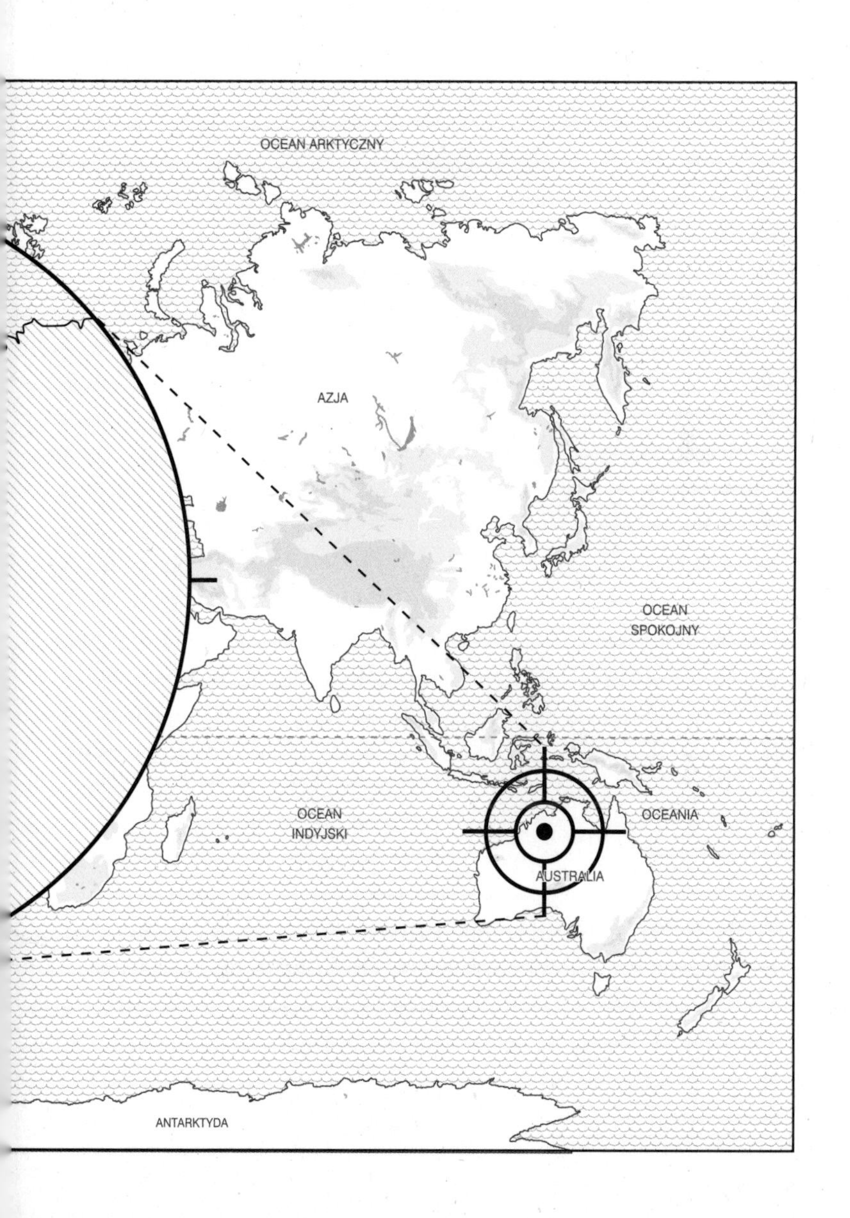
OCEAN ARKTYCZNY
AZJA
OCEAN
SPOKOJNY
OCEAN
INDYJSKI
OCEANIA
AUSTRALIA
ANTARKTYDA

BOHATEROWIE

Beck Granger

W wieku trzynastu lat Beck Granger wie więcej na temat sztuki survivalu niż niejeden ekspert wojskowy. Wielu trików gwarantujących przetrwanie nauczył się od rdzennych ludów zamieszkujących najbardziej odległe miejsca na świecie – od Antarktydy po afrykański busz – które odwiedził wraz z rodzicami i wujem Alem.

Wuj Al

Profesor sir Alan Granger jest jednym z najbardziej szanowanych na świecie antropologów. Choć rola jurora w reality show przyniosła mu nieoczekiwaną popularność, dla Becka i tak zawsze pozostanie on po prostu wujem Alem, który woli spędzać czas w laboratorium przy mikroskopie niż obracać się wśród bogatych i sławnych. Wuj uważa, że cierpliwość to cnota i wyznaje zasadę „nigdy się nie poddawaj". Przez ostatnich kilka lat był opiekunem Becka, który zaczął go postrzegać jako drugiego ojca.

David i Melanie Grangerowie

Rodzice Becka kierowali operacjami specjalnymi działającej na rzecz ochrony środowiska organizacji Jednostka Zielona. Wraz z Beckiem mieli okazję spotkać ludzi żyjących w najbardziej nieprzyjaznych człowiekowi rejonach świata. Beck wcześnie stracił rodziców, ich awionetka rozbiła się w dżungli. Ciał nigdy nie odnaleziono, nie wyjaśniono też przyczyny wypadku...

Brihony Stewart

Beck spotkał Brihony w trakcie podróży po Australii, którą odbył z rodzicami, ale z czasem kontakt między nimi się urwał. Brihony jest ekspertem od krokodyli i zagorzałą obrończynią gatunku. Uważa te stworzenia bardziej za istoty ludzkie niż zwierzęta. Choć z wiekiem dojrzała i bywa dość bezceremonialna, nadal jest tak samo sympatyczna i miła jak kiedyś!

ROZDZIAŁ 1

Beck Granger jedzie do Australii!

Beck wystukał te właśnie słowa na klawiaturze niemal ze śpiewem na ustach. Wreszcie, po miesiącu najdłuższych i najnudniejszych wakacji, coś miało zacząć się dziać.

Teraz, po kolacji, Beck wrócił do pokoju na piętrze, żeby sprawdzić, ilu znajomych zauważyło jego wpis. Uśmiechnął się, gdy zobaczył imię autora pierwszego komentarza.

Peter Grey: Superowo! Nic nie mówiłeś. Pojechałbym z tobą, ale rodzice by mnie zabili. LOL[1].

Peter był jego najlepszym przyjacielem ze szkoły. Ich dwa ostatnie wspólne wypady obfitowały

---

[1] *Laughing out loud*; dosłownie: śmieję się głośno (przyp. red.).

we wrażenia – podczas pierwszego musieli ratować się ucieczką przed groźnymi przemytnikami diamentów, skacząc ze spadochronem z samolotu przelatującego nad środkiem Sahary; podczas drugiego na skutek erupcji wulkanu zostali uwięzieni w sercu sumatrzańskiej dżungli, musieli walczyć z tygrysami, krokodylami i działającymi poza prawem drwalami, ale w końcu udało im się wrócić cało na łono cywilizacji.

Tak, rodzice Petera zdecydowanie dobrze zastanowiliby się, czy znów puścić ich syna z Beckiem.

Jednak dla niego takie wakacje to normalka. No może poza bandziorami, którzy chcieli go zabić. Do tego nie był przyzwyczajony.

Pierwsze wspomnienia Becka dotyczyły podróży z rodzicami. Powód był zawsze ten sam: ojciec Becka kierował operacjami specjalnymi Jednostki Zielonej – organizacji ekologicznej, której celem było wprowadzanie zmian poprzez działania oparte na bezpośredniej interwencji. Bez względu na to, czy chodziło o nagłośnienie trudnej sytuacji zagrożonych wymarciem gatunków, opowiedzenie się za sprawą rdzennych plemion czy wsparcie dla polityki zrównoważonego rozwoju w rejonach objętych szkodami wywołanymi przez współczesne rolnictwo – Jednostka Zielona stała zawsze na linii frontu.

Ze względu na swą pracę rodzice Becka jeździli po całym świecie, a sam Beck miał dzięki temu okazję poznać odległe plemiona w najbardziej ekstremalnych miejscach, od biegunów po równik. I jak na białego chłopca z Anglii wykazał się survivalowym talentem. Po śmierci rodziców podróżował z wujem Alem.

Teraz był już nastolatkiem. Jeśli chodziło o stopnie w szkole, nie miał złudzeń, że wzniesie się ponad przeciętność, ale w przypadku sztuki przetrwania wiedział, iż znajduje się w gronie mistrzów; przy czym zdawał sobie sprawę, że zawsze znajdzie się coś, czego będzie jeszcze musiał się nauczyć – choćby tego, jak przecierpieć długie i monotonne wakacje w domu.

Napisał szybką odpowiedź do Petera: *Dopiero co się dowiedziałem. Przywiozę ci milusiego koalę!*

Wizja niezaplanowanych wakacji wydawała się dobrym pomysłem. Na początku cieszyły go odpoczynek, możliwość spędzania każdej nocy we własnym łóżku i jedzenia posiłków przygotowanych z produktów zakupionych w sklepie, świadomość, że nikt nie próbuje go zabić. Czuł, że potrzebuje więcej tego typu rzeczy.

Ale teraz, w połowie wakacji, był już znów żądny wrażeń. Spędził zbyt dużo czasu na portalu PlaceSpace, gdzie jego znajomi dzielili się planami wakacyjnymi; nigdy nie podejrzewał, że będzie zazdrościć komukolwiek pobytu w hotelu w Hiszpanii.

Uświadomił sobie, że nie jest z nim najlepiej, kiedy złapał się na tym, że pisze do Petera porady z zakresu przetrwania: *Uważaj na hipotermię. To nie tylko dreszcze. Zaczynasz mieć trudności z mówieniem i tracisz koordynację...* Peter wraz z rodziną byli wówczas na campingu w Walii. Hipotermia, czyli grożący śmiercią spadek temperatury ciała, raczej nie stanowił tu problemu. Za to problem na pewno miał Beck. Po prostu nie był przyzwyczajony do przesiadywania w domu.

Wtedy właśnie wuj Al wyszedł z tą sensacyjną propozycją.

– Nie chciałbyś się wybrać do Australii? – rzucił.

Beck ledwo powstrzymał okrzyk radości. Ledwo. Nauczył się już, że najpierw trzeba zebrać wszystkie fakty. Spojrzał więc podejrzliwie na wuja i zapytał:

– A co…?

Al uśmiechnął się, słysząc rezerwę w głosie chłopca. Nigdy nie wyjeżdżali bez powodu.

– To czysto naukowa sprawa. Niestety, nie zatrzymamy się w pięciogwiazdkowym hotelu, tylko na kampusie Casuarina[2] należącym do Uniwersytetu Karola Darwina. Ale będziesz mógł chodzić na plaże, włóczyć się po parku narodowym, żeglować…

Al wcale nie musiał Becka namawiać. Sama perspektywa wyjazdu z Anglii była już wystarczającym argumentem.

---

[2] Przedmieścia Darwinu; dosłownie: rzewnia, kazuaryna (rodzaj drzew i krzewów charakterystycznych dla suchych obszarów Australii).

– A *ty* co będziesz robić? – zapytał Beck.

Na twarzy Ala odmalowało się uczucie lekkiego zażenowania, ale też i zadowolenia.

– Chcą mnie odznaczyć tytułem doktora honoris causa za pracę na temat wpływu pierwszych Aborygenów na środowisko naturalne Australii.

– Super! – Beck był pod wrażeniem.

Wuj Al – dla reszty świata profesor sir Alan Granger – poświęcił swoje życie walce o ochronę środowiska. To, że po zaginięciu rodziców Becka stał się jego opiekunem, wcale nie spowolniło jego wysiłków. Nie zawsze było łatwo. Ba, bywało bardzo niebezpiecznie. Swego czasu Al narobił sobie wrogów wśród wielu wpływowych ludzi. Tak czy owak, Beck był zdania, że poświęcenie wuja powinno być odpowiednio doceniane.

– To w drogę, do Australii!

Było to zbyt skomplikowane, aby wyjaśnić na PlaceSpace. Beck zdecydował, że opowie Peterowi całą historię, kiedy się zobaczą.

Spojrzał na kolejny komentarz i aż musiał usiąść.

Brihony Stewart: Fantastyczna wiadomość! Możemy się spotkać. Wpadniesz do Broome?

Brihony! Dawno jej nie widział – od czasu... cóż, od czasu ostatniej wyprawy do Australii. Dziewczyna była fajna, ale on nadal starał się nie myśleć zbyt dużo o tamtych wydarzeniach. Choć przez większość czasu świetnie się bawił, to w końcu pojechał tam przecież z rodzicami, a wrócił jako sierota.

Rodzice Becka udali się jako przedstawiciele Jednostki Zielonej na wyżynę Kimberley na północy Terytorium Zachodniego, aby wesprzeć zamieszkujących ten obszar Aborygenów w walce sądowej. A kiedy plemienni nestorzy przekonali się, że angielski dzieciak *naprawdę* pragnie poznać lokalne zwyczaje, Beck szybko trafił pod ich skrzydła. Dowiedział się wtedy wielu przydatnych rzeczy na temat tego, jak przetrwać na terenie australijskiego Outbacku[3].

[3] Słabo zaludnione rozległe pustynne, półpustynne lub górzyste obszary środkowej Australii.

Jak nazywał się jego nauczyciel? Pen... Pan... Pindari, nazywał się Pindari. Surowy staruszek, niedający się zadowolić byle czym, więc jak już *udało się* go zadowolić, było to coś warte. Jego imię oznaczało „wysokie skały", a on sam zdawał się twardy niczym spieczone słońcem wiekowe zbocza Kimberley. Ciekawe, gdzie teraz jest...

Było fantastycznie, aż awionetka rodziców się rozbiła i życie Becka zmieniło się na zawsze.

Beck wszedł na stronę Google Maps, aby sprawdzić, gdzie leżą Broome i Darwin, dokąd miał jechać z wujem. Darwin znajdował się na Terytorium Północnym, dość odległym od wyżyny Kimberley i Broome. Jeżeli porównać Australię do zegara, Darwin znalazłby się na godzinie dwunastej, Broome zaś w okolicy dziesiątej. Niby niedaleko, ale Beck nie dał się nabrać. Pamiętał, że to ogromny kraj. Na jego obszarze można by zmieścić trzydzieści jeden Wielkich Brytanii i jeszcze by był luz. Zerknął na podziałkę w rogu ekranu i stwierdził, że miasta dzieli dobrych dziewięćset kilometrów. Był to dystans w linii prostej, który można pokonać samolotem. Samochodem trzeba by doliczyć przynajmniej drugie tyle. Ogromny kraj.

Choć więc perspektywa była kusząca, Beck musiał zaakceptować fakt, iż tym razem może nie udać mu się spotkać z Brihony. Nie chciał jednak być pesymistą, kto wie, co się wydarzy… Napisał więc: *No, byłoby świetnie. Dam znać Alowi.*

ROZDZIAŁ 2

Po dwudziestu jeden godzinach od wyjazdu z Londynu Beckowi udało się wreszcie usnąć. Miał wrażenie, że minęło zaledwie pięć minut, gdy wuj go obudził, wskazał okno samolotu i z nieudolnym australijskim akcentem rzekł:

– Witaj z powrotem, brachu! Tam w dole leży Kimberley.

Beck spojrzał na niewyraźny krajobraz roztaczający się dziewięć kilometrów poniżej.

– Wow...

Australia *ciągnęła się i ciągnęła*. Doliny zlewały się z horyzontem. Kurz z suchej i prawie nieznającej deszczu ziemi mieszał się z mgłą nieba tak, że praktycznie nie widać było, gdzie zaczyna się jedno, a kończy drugie. Kontynent zdawał się sięgać poza kraniec świata.

Beck wrócił myślami do swojej ostatniej wizyty w Australii. Jego rodzice i rodzice Brihony pomagali aborygeńskiemu plemieniu Jugun przygotować pozew sądowy. Dwieście lat wcześniej pewien angielski farmer, któremu spodobał się kawałek tutejszej ziemi, ogrodził go i sobie przywłaszczył. Nie napotkał większych trudności – w przeciwieństwie do Jugunów, którzy żyli tu od tysięcy lat, miał broń i psy. Dopiero dwa wieki później potomkowie członków tamtego plemienia postanowili wystąpić z powództwem wobec spadkobierców farmera o zwrot ojcowizny.

Beck spojrzał na rozpościerającą się w dole krainę. Zastanawiał się, jakim trzeba być głupcem, aby sądzić, że można zawłaszczyć jakąkolwiek jej część. Pomyślał też o Brihony, ale zaraz przypomniał sobie, że tym razem nie wybiera się do Kimberley; cel tej podróży stanowił Darwin. Przywołał też nauki swego aborygeńskiego mentora: nie należy pogrążać się w przeszłości, ale żyć teraźniejszością i patrzeć w przyszłość.

Dlatego będąc tu i teraz, Beck zapytał tylko:

– Czy to miał być australijski akcent?

– A co, niedobrze brzmiało?

– Nie, świetnie, o ile Australijczycy mówią jak Anglik w średnim wieku…

– Przepraszam bardzo, jestem Anglikiem *w podeszłym wieku* i jestem z tego dumny.

Beck roześmiał się.

Z głośników popłynął głos kapitana. Za godzinę będą lądować w Darwinie.

* * *

Kolejki do odprawy paszportowej muszą być długie, powolne i nudne. To chyba jakieś niepisane prawo, bo do tej pory Beck stał w ogonku w każdym międzynarodowym porcie lotniczym. Ten w Darwinie nie był wyjątkiem.

Chłopak zdążył już włączyć telefon, aby odnalazł australijską sieć. Teraz zrobił pół kroku, przeciągnął palcem po wyświetlaczu, odblokowując komórkę, i pobieżnie przejrzał SMS-y i e-maile. Otrzymał powiadomienie z serwisu PlaceSpace o prywatnej wiadomości. Może to Brihony? Stuknął palcem ikonkę aplikacji.

Jim Rockslide...

Beck zastygł w bezruchu, wpatrując się w telefon. Niemożliwe! Niewiarygodne! Myśli kłębiły mu się w głowie. Jakim cudem przyszła wiadomość od Jima Rockslide'a...

– Beck? – wuj zawołał cicho, bo kolejka niepostrzeżenie zdążyła posunąć się kilka metrów do przodu.

Nastolatek pośpiesznie dołączył do ogonka i znów zerknął na telefon. Na pytanie Ala, czy coś się stało, tylko potrząsnął głową.

Wiadomość brzmiała: *Piątek, 31. Broome. Idź za białym smokiem.*

Jim Rockslide? Przecież on nie istnieje! To fikcyjna postać, bohaterski geolog walczący z nazistami, istotami pozaziemskimi i przemytnikami, o którego przygodach Beckowi opowiadał tata.

Wszedł na profil nadawcy, aby dowiedzieć się o nim czegoś więcej. Strona zawierała tylko standardową grafikę przedstawiającą zarys głowy, nie wgrano żadnego zdjęcia, nic nie napisano.

Beck był pewien, że tylko dwie osoby na całym świecie słyszały o Jimie. David Granger i Beck. Jak to możliwe, że postać stworzona przez nieżyjącego człowieka wysyłała wiadomości za pomocą PlaceSpace?

* * *

Beck właściwie nie pamiętał kontroli paszportowej, oczekiwania na bagaż ani przejścia na halę przylotów. Jeśli wuj zauważył, że jest nieobecny myślami, nie skomentował tego w żaden sposób. Prawdopodobnie uznał, że to zmęczenie wywołane przez różnice między strefami czasowymi.

W głowie miał zamęt. Było tylko jedno wytłumaczenie tamtej wiadomości…

Jego ojciec żyje.

Nie, stwierdził Beck, to jest absolutnie niemożliwe.

Faktycznie, ciał jego rodziców nigdy nie odnaleziono, ale…

Jeśli obydwoje by jednak żyli, musieliby *udawać* martwych przez te wszystkie lata. Beck nie mógł znaleźć rozsądnego powodu, dlaczego mieliby to robić. Co za okropna myśl. To by było istne okrucieństwo wobec ich jedynego syna.

Nie, jego rodzice nie żyli. *Nie mogli* żyć.

Ale Jim Rockslide wysyłał do niego wiadomość.

Beck był skołowany.

W końcu uświadomił sobie jedno: bez względu na to, kto się z nim skontaktował i po co, był wtorek, dwudziestego ósmego, a on musiał znaleźć się w Broome w piątek.

* * *

– Dobry Boże…

Dopiero po chwili Beck zdał sobie sprawę, że wuj coś powiedział. Siedzieli w taksówce przedzierającej się przez zatłoczone przedmieścia Darwinu w kierunku uniwersytetu. Gdy opuścili lotnisko, zapadł już zmrok, więc nie było widać niczego poza światłami lamp ulicznych oraz przednich i tylnych reflektorów samochodów. Al sprawdzał na swoim tablecie pocztę.

– Co się stało? – zapytał Beck.

– Pewien głupek – wuj nie krył przepełniającej go irytacji – nie znasz go, ale wyrobił sobie nazwisko, właśnie opublikował książkę, która zaprzecza wszystkim moim badaniom. Chodzi o wyginięcie megafauny... Oczywiście, nie ma racji, ale będę musiał całkowicie przeredagować treść mojej przemowy... – Uśmiechnął się przepraszająco. – Obawiam się, że nie będę zbyt dobrym towarzyszem przez następnych kilka dni.

Beck nie miał pojęcia, o co dokładnie chodzi i za bardzo go to też nie obchodziło. Zgrało się to jednak świetnie z jego planami.

Sprawdził już na telefonie wszystkie możliwości podróży. Do Broome każdego ranka kursował autokar linii Greyhound; jazda trwała prawie dwadzieścia cztery godziny. W środę zregeneruje siły w Darwinie, czwartek spędzi w trasie, a w piątek rano będzie już na miejscu. Tym razem nie miał wrażenia, że jedzie w nieznane, bo przecież w Broome mieszka Brihony.

– Wiesz – odpowiedział jakby mimochodem, co od razu wzbudziło czujność wuja – chyba mam na to rozwiązanie…

ROZDZIAŁ 3

Koła autobusu, który niczym strzała mknął przez serce starodawnej krainy, równo toczyły się po asfalcie. Darwin pozostał daleko w tyle.

Droga była nowoczesna, dobrze utrzymana i prosta. Za poboczem usypanym z gołej czerwonej ziemi, gdzie okiem sięgnąć, rozpościerała się sawanna – ni to łąka, ni to pustynia. Po stronie Becka morze wysokich do kolan suchych traw i krzaków ciągnęło się aż do podnóża klifów z czerwonego piaskowca wielkości małego drapacza chmur.

A więc jednak wrócił do Kimberley.

Pora deszczowa miała się rozpocząć dopiero za parę miesięcy. Rzeki i strumienie napełniają się wówczas wodą, a spieczona słońcem ziemia pokrywa bujną zielenią. Ale ponieważ ostatnie opady zanotowano tu pół roku temu, teraz rośliny były stwardniałe i skarłowaciałe, a koryta cieków, które mijali, wyschnięte na wiór. Wprost błagały o deszcz. Cała okolica była surowa, dzika, zdolna przetrwać miesiące lejącego się z nieba żaru.

Powietrze drżało w trzydziestopięciostopniowym upale, lecz autokar był klimatyzowany, więc w środku panował miły chłód. Szosa stanowiła jedyny dowód na to, że dotarła tu cywilizacja. Wydawało się, że ziemia ta po prostu nie zauważa istot ludzkich zamieszkujących ją już od ponad sześćdziesięciu tysięcy lat. Europejczycy, którzy nazwali ten kontynent Australią[4], byli osiedleńcami przybywającymi tu przez kolejnych kilka stuleci. To właśnie oni odcisnęli piętno na tych dzikich terenach, budując miasta oraz łączące je drogi żelazne i asfaltowe. Beck miał wrażenie, że wszystko to mogłoby zostać w jednej chwili pochłonięte i ziemia w okamgnieniu wróciłaby

[4] Obecna nazwa pochodzi od określenia *Terra Australis Incognita*, czyli ziemia południowa nieznana.

do swego naturalnego stanu. Surowa, piękna i nieczuła byłaby domem tylko dla tych, którzy są gotowi traktować ją z szacunkiem.

Beck wziął ze sobą coś do czytania i słuchania, ale na razie siedział tylko, ciesząc oczy piaskowymi urwiskami, które wznosiły się ponad sawannę niczym starodawne zamki, oraz widokami krainy, która była już stara nawet wtedy, gdy przechadzały się po niej dinozaury.

* * *

Ala nie trzeba było długo przekonywać. Pozornie wydawał się mieć wątpliwości, ale nie powiedział też „Nie".

– Niekiedy podróż przybiera niespodziewany obrót…

Beck miał już przygotowane wszystkie argumenty. Jak słusznie stwierdził, znajdowali się w kraju Pierwszego Świata. Co prawda, autokar przejeżdża przez najmniej gościnne tereny na Ziemi, ale najgorsze, co może się zdarzyć, to to, że się zepsuje – kierowca wezwie pomoc przez radio i po problemie. Kilka godzin czekania i będą uratowani: nie ma potrzeby wędrowania w poszukiwaniu ratunku. A na samym końcu przeprawy czeka nowoczesne miasto Broome. Becka odbierze matka Brihony – wiedział, że jej ojciec już z nimi nie mieszka – którą Al znał i której ufał.

Beck czuł wyrzuty sumienia, że nie wspomniał o Jimie Rockslidzie. Pomyślał sobie jednak, że gdyby wuj się o nim dowiedział, z pewnością chciałby z nim pojechać i opuściłby uroczystość na swoją cześć.

W końcu Al przyznał, że jest trochę nadopiekuńczy, w dodatku wspaniałomyślnie zdecydował się zapłacić za bilet. I tak właśnie Beck znalazł się w greyhoundzie w drodze do miejsca, gdzie miał odkryć, kim jest Jim Rockslide. Na razie jedyne zaskoczenie stanowił jaskrawoczerwony kolor autokaru[5], ale takie niespodzianki Beck mógł przeżyć.

---

[5] Nazwa autobusu pochodzi od rasy psów z grupy chartów; dosłownie szary (*grey*) pies myśliwski (*hound*).

***

Beck spał oparty o szybę z nasuniętą na oczy czapką, ale inny dźwięk kół wyrwał go ze snu. Gdy się wyprostował, autobus zjeżdżał właśnie na parking, przy którym mieściły się sklepik i toalety. Poza tym kilometrami ciągnęło się pustkowie.

Kiedy Beck wysiadł cały zesztywniały po chłodzie klimatyzacji, fala gorąca uderzyła go niczym młot kowalski. Pasażerowie rozeszli się – jedni podążyli w kierunku zabudowań, inni próbowali rozprostować nogi. Para z małym dzieckiem, która siedziała parę rzędów za nim, rozdzieliła się: matka weszła do sklepiku, zaś ojciec obserwował szkraba niepewnie eksplorującego parking. Beck przeszedł na skraj wyasfaltowanego placu. Zapatrzył się w przestrzeń. Miał wrażenie, że cywilizacja kończy się właśnie u jego stóp. Wystarczyłby jeden krok, aby wejść w świat, który trwa niezmieniony od tysięcy lat…

Z zamyślenia wyrwał go okrzyk:

– Ej, patrzcie, kangury!

Spojrzał za siebie. Rzeczywiście, zza wysokiej trawy po drugiej stronie parkingu wychynęła niewielka grupka torbaczy. Miały przybrudzoną brązową sierść, gładkie, spiczaste pyski, umięśnione uda i były mniej więcej jego wzrostu. Beck nie znał się aż tak dobrze na kangurach, aby zidentyfikować gatunek tego stadka, ale orientował się, jakie są ich zwyczaje. Zwierzęta te lubią drogi zbudowane przez ludzi. W rowach melioracyjnych zbiera się woda dająca im możliwość ugaszenia pragnienia i sprzyjająca wzrostowi gęstej trawy, którą się właśnie pożywiały.

Niektórzy z pasażerów wycelowali aparaty i zaczęli cykać zdjęcia. Kangury uniosły łby, spojrzały na ludzi tak, jakby ci byli z Marsa, i wróciły do przerwanego posiłku. Beck uśmiechnął się i odwrócił wzrok.

Sprawdził, która godzina. Zostało pięć minut, powinien jeszcze skorzystać z toalety przed odjazdem. Ruszył w stronę budynku, kiedy kątem oka dostrzegł znajomego malca.

– Ej! – krzyknął, biegnąc co sił w jego stronę. – Ej!

Ojciec chłopczyka wdał się z kimś w rozmowę i na chwilę spuścił go z oczu. Tymczasem dziecko podreptało w stronę najmniejszego kangura, wyciągając ku niemu rączki. Beck wiedział dokładnie, co myślał brzdąc: „Milusie zwierzątko – chcę je pogłaskać".

Większy osobnik uniósł podejrzliwie głowę i wykonał kilka skoków w kierunku dziecka, które nic sobie nie robiło z zagrożenia. Beck biegł co sił, krzycząc na cały głos i machając rękami w nadziei, że odstraszy w ten sposób zdenerwowanego kangura. Zwierzę balansujące na umięśnionych tylnych nogach wyprostowało się i uniosło przednie łapy. Beck chwycił malca w momencie, gdy kangur podparł się ogonem i kopnął. Cios minął ich o włos.

Beck, niosąc pochlipującego malca, pośpiesznie oddalił się na bezpieczną odległość. Torbacz najwidoczniej doszedł do wniosku, że został zrozumiany, bo wrócił do podjadania trawy.

Ojciec rzucił się biegiem w ich stronę.

– Co do….?!

– Wydają się słodkie, ale to niebezpieczne zwierzęta. – Beck postawił chłopczyka na ziemię, a ten rzucił się w ramiona taty i zaniósł się jeszcze bardziej przeraźliwym płaczem. Beck wskazał na mniejszego kangura, a potem na większego. – To jest młody kangur, a to jego matka. Jeśli ktoś rozdzieli taką parę, matka zaatakuje. A cios zadany przez te nogi może rozerwać małe dziecko.

Ojciec patrzył na Becka tak, jakby to on zaatakował jego synka, a nie ocalił, ale Beck wiedział, że mężczyzna był w szoku.

– No… – zaczął, ale przerwał mu głos biegnącej w ich stronę żony.

Beck zdecydował, że lepiej będzie, gdy facet sam wytłumaczy, jak to spuścił z oczu ich dziecko i prawie dopuścił do śmiertelnego wypadku.

„Witamy w Australii – pomyślał, zmierzając do toalety – gdzie pozory mylą i nawet to, co milusińskie, potrafi zabić”.

ROZDZIAŁ 4

W Broome nie było dworca autobusowego. Greyhound po prostu zatrzymał się przy centrum informacji turystycznej na skraju miasta. Brihony już czekała, ale gdy Beck chwiejnym krokiem wysiadł z autokaru, nie poznał jej. Owszem, dostrzegł dziewczynę o kasztanowych włosach do ramion, lecz nie zaprzątał sobie nią głowy, wypatrując znajomej dziewczynki.

Dopiero po chwili wrócił do niej wzrokiem. Dziewczyna oparła ręce na biodrach i nerwowo potupywała. Bacznie przyglądała się każdemu pasażerowi, wyciągając szyję i niecierpliwie kręcąc głową, gdy jeden po drugim okazywali się nie być tym, na kogo czekała. Gdy zauważyła, że ktoś jej się przygląda, na jej twarzy pojawił się wyraz zrozumienia. Robiła dokładnie to samo, co Beck – szukała kogoś dużo młodszego.

– Beck?

– Brihony?

W momencie oboje wybuchli śmiechem i padli sobie w objęcia.

Mama Brihony czekała z dala od tłumu. Beck bez trudu ją rozpoznał, chociaż przysiągłby, że kiedy poprzednim razem ją widział, była wyższa. Mia Stewart była starszą, bardziej doświadczoną życiem wersją Brihony. Miała krótsze i siwiejące włosy, ale oczy i uśmiech były bardzo podobne.

– Cieszę się, że mogłeś przyjechać, Beck. Witamy w Broome!

– Dziękuję – odpowiedział ciepło. Niezmiernie się cieszył, że przyjechał.

Beck zawsze łapał się na tym, że jedyną rzeczą, której nie lubił w podróżowaniu, było, cóż, samo podróżowanie. Po drodze mieli jeszcze kilka przystanków, ale na szczęście nie spotkali już więcej żadnych rozzłoszczonych kangurów. Za każdym razem, gdy się zatrzymywali, czuł się coraz bardziej zesztywniały, a jego ręce i nogi coraz bardziej odmawiały mu posłuszeństwa. Ostatnie dwanaście godzin spędzili w całkowitej ciemności. Nocą przez okno nie było widać nic – zaledwie jego własne odbicie w szybie. Próbował spać, ale budził się co chwilę.

– Samochód stoi tam – powiedziała pani Stewart.

Beck wrzucił swoją torbę do bagażnika zaparkowanego przy chodniku kombi. Mia Stewart zatrzasnęła klapę, a on uśmiechnął się na widok naklejki na szybie. Obok tego, co pozostało po namiocie, z zawiązaną na szyi serwetką stał sobie oblizujący się kreskówkowy krokodyl. W tle widać było parę uciekających ludzików. Pod rysunkiem jaskrawymi literami napisano: NIE PODSKAKUJ *SALTIE*[6]. A pod tym widniała nazwa: KLUB OCHRONY KROKODYLI RÓŻAŃCOWYCH.

---

[6] Dosłownie: słony. Popularna nazwa krokodyla różańcowego, który najczęściej przebywa niedaleko ujść rzek do morza, ale potrafi też żyć w słonej wodzie i nierzadko wypływa na pełne morze.

Pani Stewart zauważyła, że Beck patrzy na naklejkę, i roześmiała się.

– Brihony naprawdę zaangażowała się w działania na rzecz ochrony krokodyli.

– Cóż, są tu od milionów lat – zauważyła niewinnym tonem Brihony. – No i ja wiem wszystko na temat szacunku dla staruszków... Pokrytych łuską czy nie...

Brihony na żarty dostała od mamy po uchu, po czym wszyscy wsiedli do samochodu. Beck usiadł z tyłu wraz z Brihony. Obserwując długie szerokie ulice, miał wrażenie, że miasto zostało od niechcenia rzucone na półwysep między Ocean Indyjski a zatokę Roebuck i pokryte cienką warstwą cywilizacji zbudowanej na kontynencie, który prawie jej nie dostrzega. Że wystarczy wykopać dziurę na głębokość zaledwie paru centymetrów, aby odkryć prawdziwą Australię.

– Jak minęła podróż, Beck? – zapytała pani Stewart.

– Dobrze, dziękuję, pani doktor – odpowiedział uprzejmie. Trochę dziwnie się czuł, zwracając się do niej w taki sposób, ale wiedział, że jest ekspertem w dziedzinie australijskiej dzikiej przyrody. Poza tym wychodził z założenia, że jeżeli ktoś zapracował na to, aby tytułować go doktorem, to powinno się to uszanować.

– Och, proszę, mów mi Mia! – zaśmiała się pani Stewart. – Myślę, że jesteś wystarczająco dorosły. Byłeś już kiedyś w Broome?

– Nie, nigdy. – Z rodzicami, zatrzymali się u Jugunów, nie dotarli do Broome. Beck zerkał to na matkę, to na córkę, i zastanawiał się, czy możliwe jest, aby jego ojciec lub on sam wspomniał im kiedyś o Jimie Rockslidzie. Czy rodzina Stewartów mogła o nim wiedzieć? Jeśli tak, to może był to tylko głupi żart i nie ma żadnej tajemnicy. Dodał więc, jak gdyby nigdy nic, bacznie obserwując ich reakcje: – Mam jednak znajomego, Jima Rockslide'a, który wszystko mi o tym miejscu opowiedział.

Nie nastąpiło nic, co mogłoby potwierdzić, że zepsuł im psikusa.

– Fajne nazwisko[7] – zaśmiała się Brihony.

– Czy Jim tu mieszka? – zapytała Mia z grzeczności, wyraźnie nie był on jej znany.

– Nie. Nie widziałem go od lat.

– Szkoda.

Nie, zdecydowanie, ani Mia, ani Brihony nie miały pojęcia o Jimie.

– A tak z innej beczki, jedziemy teraz do domu. Weźmiesz prysznic, zjesz śniadanie, a potem pokażemy ci Broome.

– Dziękuję – powiedział z powagą w głosie. – Bardzo chciałbym je zobaczyć.

Wiadomość brzmiała: „Idź za białym smokiem". Jeśli zacząłby wypytywać dookoła o białe smoki, z pewnością zamknęliby go w wariatkowie. Mógł jednak spróbować dowiedzieć się czegoś na własną rękę, co oznaczało, że musiał się rozejrzeć.

– Przyjechałeś w samą porę na festiwal – dodała Brihony.

---

[7] Dosłownie: kamienna lawina.

– Jaki festiwal?

– Shinju Matsuri. To lokalne wydarzenie. Będzie super.

* * *

Parę godzin później Beck był kłębkiem nerwów. Przyjechał do Broome, aby odnaleźć Jima Rockslide'a, a nie po to, aby zwiedzać muzeum, włóczyć się po plaży albo surfować w oceanie... Choć oczywiście wszystkie te rzeczy były przyjemne, nie pomagały mu w jego misji. Nigdzie nie zauważył białego smoka, a naprawdę nie miał ochoty o niego wypytywać.

Gdy jednak skierowali się w stronę chińskiej dzielnicy, aby zdążyć na początek wielkiej parady, znów ogarnęło go uczucie podekscytowania. Mia podrzuciła ich na miejsce, umawiając się, że przyjedzie po nich godzinę później. Wszędzie rozbrzmiewała muzyka, kłębili się roześmiani i rozgadani ludzie. Wprost nie można było się oprzeć atmosferze zabawy.

– Shinju Matsuri to festiwal pereł – wyjaśniła Brihony, podnosząc głos, aby mógł ją usłyszeć. – Organizowany jest na cześć wszystkich kultur, którym przyszło żyć obok siebie w tym mieście.

– Brzmi trochę jak z języka japońskiego – zauważył Beck.

– Bo tak właśnie jest. Kiedyś rozwinięty był tu przemysł związany z połowem pereł, który zapoczątkowali japońscy nurkowie. Ale impreza łączy różne tradycje. O, na przykład chińską, widzisz? – Brihony wskazała coś w oddali.

Beck stanął jak wryty.

Ponad wypełniającym ulicę tłumem ujrzał... błyszczące ślepia i rozdziawioną paszczę smoka.

Jego wężopodobne cielsko, przytrzymywane przez kilkanaście osób, mieniło się czerwienią, złotem i zielenią. Stwór tańczył w rytm muzyki, Beck poczuł, że też zaczyna się kołysać, a za nim podążały platformy, orkiestra dęta, kolejne platformy i jeszcze jeden smok.

Brihony opowiadała dalej o festiwalu: o karnawale na Cable Beach[8], o regatach smoczych łodzi[9] i o schodach pnących się aż po sam księżyc... Lecz Beck nagle przestał słyszeć ją, muzykę i odgłosy bawiącego się tłumu. Dostrzegł bowiem jeszcze jednego smoka. Był mniejszy i nie tak krzykliwy, choć też ozdobiony chwostami i innymi dekoracjami. Ale nie złotymi, czerwonymi, żółtymi czy czarnymi – białymi.

---

[8] Dosłownie: plaża telegraficzna. Nazwa upamiętnia kabel telegraficzny, który połączył Broome i Jawę w 1889 roku.

[9] Charakterystyczne chińskie łodzie z głową i ogonem smoka, w których podczas zawodów zasiada dwudziestu wioślarzy, bębniarz i sternik.

ROZDZIAŁ 5

Biały smok, podobnie jak inne, tańczył i kołysał się w takt muzyki. Beck nie mógł oderwać od niego oczu. Przejechał prawie dwa tysiące kilometrów, nie wiedząc, czego szuka, i nie mając nawet pewności, czy nie jest to jakiś głupi dowcip. Oto jednak jest – biały smok. Miał nawet wrażenie, że za chwilę zatrzyma się on przed nim, a tancerze zdejmą kostium i wszystko mu wyjaśnią. Cokolwiek miałoby to być.

Wiadomość jednak nakazywała mu, aby *poszedł* za białym smokiem. Nie było to trudne, ale jak miał wytłumaczyć swoje zachowanie Brihony?

Na szczęście dziewczyna sama nasunęła mu rozwiązanie problemu.

– Ej, Beck, masz ochotę na hot doga? – zapytała.

– Jasne! Dzięki! – Musiał krzyczeć, żeby go usłyszała. – Poczekam tu!

– W porządku. – Uśmiechnęła się i zanurkowała w tłum.

Beck wziął głęboki oddech i ruszył w lewo, podążając za smokiem.

Parada kluczyła. Beck musiał przepychać się przez napierających na niego ze wszystkich stron ludzi, aby dotrzymać kroku smokowi w miarę jak ten podskakiwał w rytm muzyki to w przód, to w tył. Beck wytężał wzrok za najdrobniejszą wskazówką mogącą zdradzić mu, co się dzieje – doszukiwał się znaków w ozdobach smoka, próbował dojrzeć kogoś pod przebraniem. W gardle widać było ukrytą kratkę, która zapewniała pole widzenia osobie idącej z przodu, ale nie był w stanie dostrzec jej sylwetki. Namalowane ślepia wpatrywały się w niego pustym spojrzeniem.

Wtem smok zaczął się oddalać. Zdziwiony Beck zauważył, że skręcił w boczną uliczkę po drugiej stronie drogi.

– Hej! – zawołał.

Smok jednak nie zareagował, a roztańczony tłum sunął dalej. Rozstąpił się tylko, aby przepuścić smoka, po czym ponownie zwarł szyki.

Beck został odcięty przez paradę i ludzki mur.

Przecisnął się przez sznur gapiów podziwiających maszerującą właśnie orkiestrę dętą. Wyciągając wysoko szyję i podskakując, jak tylko potrafił najwyżej, aby dostrzec coś ponad głowami innych, zdążył zobaczyć jeszcze koniuszek znikającego w głębi alejki białego ogona. Gdy tylko orkiestra przeszła, próbował przedostać się na drugą stronę, ale niemal wpadł pod przednie łapy innego smoka. Jego operator musiał ostro skręcić, aby uniknąć kolizji. – Z drogi! – warknął bardzo zirytowany i bardzo ludzki głos o mocnym australijskim akcencie.

Beck szybko się podniósł i zaczął się przedzierać przez tłum.

Alejka odchodziła od głównej drogi, żeby nagle zmienić się w prowadzącą przez zarośla bitą drogę i zginąć z oczu pośród drzew. Takie było całe Broome. Biały smok stanowił już tylko słaby refleks w półmroku, a potem zniknął. Beck rzucił się za nim. Dźwięki parady – muzyka, śmiech, rozmowy – coraz bardziej milkły w miarę, jak chłopak przemierzał biegiem otwartą przestrzeń. Wpadł między drzewa i ujrzał przed sobą snop światła. Trzydzieści sekund później stał na polanie; przed nim znajdowały się magazyn i pusty parking. Główne wejście było na tyle duże, aby umożliwić wjazd ciężarówce, a wisząca nad nim wyblakła tablica informowała o nazwie firmy, która dawno już musiała zamknąć swoje podwoje. Obok dużego wejścia zamontowano zwykłe drzwi. Były oświetlone i uchylone.

– Halo?! – zawołał cicho Beck, po czym ostrożnie podszedł i zajrzał do środka.

Ściany hali skrywał mrok. Na środku pomieszczenia, skąpany w przyćmionym, pomarańczowym świetle, leżał kostium białego smoka. Obok niego stał Aborygen ubrany w koszulkę i dżinsy.

– Zapraszam! – powiedział, podkreślając swoje słowa gestem ręki.

Gdy tylko chłopak przestąpił próg, usłyszał tuż za sobą:

– Przepraszamy za tę całą maskaradę.

Odwrócił się i odskoczył w bok, ale drugi mężczyzna zdążył już zamknąć drzwi. Serce Becka biło jak oszalałe. Drugi nieznajomy też był Aborygenem. Miał ciemne gęste włosy, skórę koloru mahoniu i śmiejące się oczy. Był ubrany w dżinsy i bluzę Uniwersytetu w Melbourne.

– Gdyby ktoś nas zobaczył razem, znaleźlibyśmy się w niebezpieczeństwie – dodał. – Wszyscy – podkreślił. – Cała nasza trójka.

Dołączył do kolegi przy kostiumie. Skinieniem głowy i uśmiechem dał Beckowi do zrozumienia, że powinien do nich podejść. Mimo złowieszczego brzmienia słów uśmiech miał w sobie coś serdecznego.

– Kim jesteście? – zapytał Beck, nie ruszając się z miejsca, gdyby musiał nagle rzucić się w kierunku drzwi. Czuł, że serce nadal głośno łomocze mu w piersiach, choć już nieco spokojniej. Pomyślał, że raczej nic mu nie grozi. Jeśli parka chciałaby go skrzywdzić, drugi z mężczyzn zapewne uderzyłby go w głowę wcześniej, nawet nie wiedziałby kiedy. Zresztą, dlaczego mieliby zadawać sobie tyle trudu, aby zwabić zwykłego angielskiego nastolatka tylko po to, by coś mu zrobić?

– Mówiłem ci, że nie będzie pamiętać – powiedział ten pierwszy. Był niższy i bardziej przysadzisty niż jego kolega, i miał mniej przyjazny głos. Beck pomyślał, że gdyby zamknął oczy, dałby głowę, że oboje są pochodzenia europejskiego.

– Możesz wierzyć lub nie, ale już się spotkaliśmy wcześniej – odparł ten drugi. – Nazywam się Barega. Gdy byłeś tu po raz ostatni, pracowałem z twoimi rodzicami jako ich pośrednik w kontaktach z plemieniem Jugun. Prawie co wieczór piliśmy wtedy z twoim ojcem piwo. Pewnego razu usłyszałem, jak opowiada ci historię o Jimie Rockslidzie.

Przez chwilę Beck poczuł, jak cofa się w czasie i znów jest małym chłopcem. Siedzi z tatą, słuchając relacji z ostatnich pasjonujących przygód Jima Rockslide'a. David Granger kochał Ziemię, a opowieści były jego sposobem na to, aby zainteresować nią także swego syna. Bohaterski geolog pojawił się, gdy Beck był bardzo mały. Ilekroć przyjeżdżali do nowego miejsca, tata wymyślał nowe przygody, których akcja rozgrywała się w otaczającej ich okolicy. Opowiadając o nich, wskazywał różne skały – każda z nich miała po milion lat; każda była innego kształtu i koloru. Przygody Jima miały podkreślać, jak niesamowitym miejscem może być Ziemia. Pasja – ona była dla ojca Becka najważniejsza, to ją właśnie chciał przekazać swojemu synowi.

Tak... rzeczywiście *był* tam też Aborygen. Pamiętał go, gdyż jako mały chłopiec czuł się zazdrosny o każdego, kto słuchał opowieści zarezerwowanych tylko dla niego i taty.

– Tak, coś sobie przypominam. – Beck spojrzał na drugiego mężczyznę. – A ty? – Czuł, że należą mu się wyjaśnienia.

– Jestem Ganan – odpowiedział tamten. – Mój ojciec jest wodzem Jugunów. Barega, powiedz mu, o co w tym wszystkim chodzi.

ROZDZIAŁ 6

Barega wyciągnął iPada i pokazał Beckowi zdjęcie, na którym widniał kawałek doliny rzecznej. Beck rozpoznał ściany czerwonego piaskowca typowe dla australijskiego Outbacku, lecz rzeka miała dziwny żółty kolor, a krzaki wzdłuż niej poczerniały i wydawały się usychać.

– Możesz wierzyć lub nie, ale to jest Kimberley. Rzeka jest tak zanieczyszczona, że nic tam nie jest w stanie przeżyć.

Barega dotknął wyświetlacza, aby powiększyć zdjęcie ryb unoszących się brzuchem do góry na powierzchni wody.

– Na odcinku kilku kilometrów wymarły wszystkie rośliny i zwierzęta. Zamieszkujący ten teren Yawuru musieli go opuścić. Zostali pozbawieni środków do życia. Próbowali uzyskać odszkodowanie, ale odpowiedzialny za to koncern przypisał katastrofę ekologiczną działaniom siły wyższej. „Cóż oni mogli zrobić?" – pytali jego przedstawiciele. Przecież to nie ich wina, że nastąpiło trzęsienie ziemi. To nie oni kazali plemieniu żyć w takim miejscu.

– Co to za koncern? – zapytał Beck.

– Lumos – odpowiedział Ganan.

– Lumos... – powtórzył Beck, a wspomnienia zalały go niczym fala. – Spotkałem się już z nim. Chciał zniszczyć wioskę mojego kolegi Tikaaniego na Alasce, aby wybudować tam rafinerię ropy naftowej. Nie spodziewałem się, że nasze drogi skrzyżują się na drugim końcu świata.

Ganan pokiwał poważnie głową.

– To duży koncern i w czym może, macza palce. W Kimberley nastąpił wyciek z kopalni uranu. Na skutek trzęsienia ziemi pękły zbiorniki, w których gromadzono tysiące litrów chemicznie zanieczyszczonej wody.

– Ale… – powiedział Barega i przesunął palcem po wyświetlaczu.

Beck aż wstrzymał oddech.

Ujrzał nieznanego mu białego mężczyznę stojącego obok jego rodziców. Uśmiechali się do zdjęcia. Zdawało mu się, że są w tym samym pomieszczeniu, tak blisko, że mógłby ich dotknąć. Zanim jednak zdążył przyjrzeć się fotografii, Barega zrobił zbliżenie na mężczyznę.

– Człowiek ten pracował dla Lumosu i doniósł na niego Jednostce Zielonej. Twierdził, że ma dowody na to, iż zbiorniki zostały źle skonstruowane. Gdyby budowano je zgodnie z pierwotnym projektem, byłyby odporne na trzęsienie ziemi. Poza tym korporacja specjalnie zatrudniła tanich niewykwalifikowanych robotników, którzy nie wiedzieli, co tak naprawdę robią. Więcej, miał dowody na to, że sfałszowano raporty dotyczące kontroli zbiorników. Przekazał zebraną dokumentację twojemu ojcu. Następnego dnia już nie żył.

Beck zobaczył jeszcze jedno zdjęcie. Spalony dżip leżał przewrócony na dnie wyschniętego wąwozu. Ponad nim wznosił się most z przerwaną balustradą w miejscu, skąd wypadła terenówka.

– To *mógł* być wypadek, ale twoi rodzice nie chcieli ryzykować. Skopiowali dowody na pamięć USB i zostawili je twojemu staremu przyjacielowi Pindariemu na przechowanie. Oryginały zabrali, aby przekazać je mediom w Sydney. Co stało się potem, już wiesz.

– Samolot się rozbił – wyszeptał Beck. Poczuł, jak do oczu napływają mu łzy. Nic o tym nie wiedział, to było jak rozdrapywanie starych ran.

– Samolot się rozbił – potwierdził Ganan – a Pindari zaszył się gdzieś z pendrive'em. I tak to się skończyło.

Beck spojrzał na niego.

– Tak się skończyło? Nie mogliście zrobić nic więcej? Nie mogliście zawiadomić mediów, policji? Nie mogliście…

Ganan wzruszył ramionami.

– Przepraszam, stary. Potrzebowaliśmy dowodów. Nie mieliśmy nic. Nawet jeśli mielibyśmy dowód na wadliwość zbiorników Lumosu, nic nie łączyłoby tego ze śmiercią twoich rodziców.

– Ale myślicie, że to właśnie koncern stoi za tym wszystkim – Beck wyszeptał. Podejrzewać, że nie był to nieszczęśliwy wypadek to jedno. Wielokrotnie przeszło mu coś takiego przez myśl, ale usłyszeć to od kogoś innego...

– Nie ma co do tego żadnych wątpliwości – potwierdził Barega. – Lumos stoi za śmiercią twoich rodziców. Tak mi przykro, Beck, ale nie da się inaczej tego ująć. To bardzo groźni ludzie.

Beck próbował poukładać sobie to wszystko w głowie, w miarę jak Ganan opowiadał dalej.

– Tymczasem koncern uruchomił ogromną kampanię mającą na celu wybielenie jego wizerunku. Działacze Jednostki Zielonej mogli kontynuować walkę, ale byli w zbyt dużym szoku po śmierci twoich rodziców. Zdecydowali...

– Niechętnie – przerwał mu Barega.

– *Niechętnie*, ale zdecydowali wycofać się z tej sprawy. To jeden z niewielu przypadków, kiedy Jednostka przegrała, i nie jest z tego dumna.

Barega wyłączył iPada i schował go do plecaka.

Beck spoglądał to na jednego, to na drugiego mężczyznę.

– No więc co się zmieniło? Dlaczego teraz mi o tym mówicie?

– Lumos wrócił do gry – wyjaśnił Barega. – Chce zbudować kolejną kopalnię uranu.

– Na naszej ziemi – dodał Ganan. – Na ziemi Jugunów. Ojciec ma podjąć decyzję, czy się na to zgodzić, ale nie wie tego, co ci właśnie powiedziałem.

– To mu powiedz – odparł Beck, wzruszając ramionami.

Ganan wykrzywił twarz w grymasie, jakby przełknął właśnie coś gorzkiego.

– Nie uwierzyłby mi. Jeśli plan dojdzie do skutku, będzie opływać w pieniądze. Tylko to się dla niego liczy.

– Nam nie zależy na pieniądzach – podkreślił Barega. – Jest coś od nich ważniejszego. Chcemy zachować tę ziemię dla naszych ludzi. To nasze dziedzictwo. Żyjemy tu od tysięcy lat i żadne pieniądze nie są w stanie się z tym równać.

– Rzecz w tym – westchnął Ganan – że potrzebujemy dowodów. Potrzebujemy tamtego pendrive'a, aby przekonać mojego staruszka i wpłynąć na opinię publiczną.

Beck czuł, że zaczyna go boleć głowa. Za dużo informacji naraz. Jedyne, czego teraz pragnął, to znaleźć jakiś kąt, gdzie mógłby się zwinąć w kłębek i zatopić w myślach na milion lat. Nie chciał szukać dziury w całym, ale coś nie do końca grało w całej tej historii.

– No… – powiedział z namysłem, zastanawiając się, o co w tym wszystkim chodzi – to wystarczy, że znajdziecie Pindariego i poprosicie go o USB…

Mężczyźni wymienili poirytowane spojrzenia.

– Nie można się z nim skontaktować – odrzekł Ganan. – Nie ma telefonu ani poczty elektronicznej. Od lat prawie się go nie widuje. Jeśli zechce być odszukany, to pozwoli się odnaleźć.

– I tu pojawia się problem. – Barega wyglądał na zażenowanego. – Zrozum, Ganan i ja dokonaliśmy wyboru, kiedy byliśmy jeszcze młodzi. Zdecydowaliśmy, że będziemy żyć jak biali, nie interesowały nas plemienne tradycje. Ukończyliśmy studia. Ja poszedłem na prawo. Ganan został inżynierem. Zapomnieliśmy o wszystkim, czego nas w domu nauczono.

– Chodzi o to, że nie wiemy, jak poradzić sobie w buszu – Ganan nie owijał w bawełnę. – Ani od czego zacząć poszukiwania. Za to ty wiesz.

– Ja? – zapytał zaskoczony Beck.

– Pindari powiedział kiedyś, że byłeś najlepszym uczniem, jakiego kiedykolwiek miał. Powiedział, że masz w sobie Marzenie. To największy komplement.

Beck poczuł się nieco zażenowany tymi pochwałami, aczkolwiek nie mógł zaprzeczyć, że miło było to usłyszeć. Cały czas jednak miał mętlik w głowie.

– Ale *ja*? Musi być ktoś z Jugunów, kto wie jak…

– Nie chcemy prosić nikogo z naszego plemienia – odparł szybko Ganan. – Pieniądze Lumosu są zbyt kuszące. Ktoś mógłby wytropić Pindariego tylko po to, aby odnaleźć pamięć i przekazać koncernowi.

– Nie mamy zresztą pewności, że Pindari by ją byle komu oddał – dodał Barega. – Nie tak łatwo zdobyć jego zaufanie, ale ty…

Przerwał, gdy zza drzwi dobiegł hałas. Wszystkie zmysły Becka były maksymalnie wyostrzone, więc obcy dźwięk zabrzmiał w jego uszach niczym wystrzał z karabinu.

ROZDZIAŁ 7

Beck odwrócił się w stronę wejścia do magazynu, Ganan skrył się w mroku hali, a Barega podbiegł do ściany i zgasił światło. Obaj mężczyźni zdawali się poruszać szybciej, niż jest to w ludzkiej mocy. Beck wciąż stał bez ruchu w ciemności, nie wiedząc, co robić, gdy na podłodze pojawiła się wąska jasna smuga. Ktoś ostrożnie otwierał drzwi... Nagle dwie sylwetki zaczęły się szarpać.

– Puść mnie! Puszczaj! – przepełnione gniewem krzyki odbijały się echem w pustym magazynie.

Beck rozpoznał ten głos.

– Ej, w porządku! To Brihony!

Beck usłyszał pstryknięcie i halę zalało znajome pomarańczowe światło. Barega trzymał dłoń na włączniku, Ganan i Brihony zastygli, gotowi w każdej chwili wznowić szamotaninę. Popatrzyli na siebie podejrzliwie i wolno się od siebie odsunęli.

– Panno Stewart, witamy! – zawołał Barega.

– Jak dużo usłyszałaś? – zapytał bez ogródek Ganan.

Brihony odwróciła się w jego stronę, opierając dłonie na biodrach.

– Lumos, zamordowani rodzice, pendrive, Beck najlepszym tropicielem, jakiego macie... Coś pominęłam?

– Nie. – Barega uśmiechnął się przyjaźnie, nie zważając na grymas na twarzy Ganana. – Myślę, że trafiłaś w samo sedno.

– Czy ludzie z Lumosu są naprawdę tak groźni? – zapytała Brihony towarzyszy Becka, choć to jego świdrowała gniewnym wzrokiem.

Po tym wszystkim chłopak wciąż miał mętlik w głowie. No i nie był w stanie spojrzeć przyjaciółce w oczy. W milczeniu wpatrywał się w podłogę.

– Tak, są naprawdę groźni – potwierdził Barega.

– Mamy swoje kontakty – dodał po chwili ciszy Ganan. Widać było, że zastanawia się, ile może jej powiedzieć. – Od śmierci rodziców Becka, ludzie z Lumosu śledzili każdy jego krok. Teraz, gdy przyjechał do Broome, pomyślą, że chce odnaleźć ukryte dowody. Nigdy na to nie pozwolą... Pamiętaj, że już przynajmniej raz zabili.

Beck chciał się wtrącić, ale Brihony nie pozwoliła mu na to.

– Jeśli Beck znalazł się w niebezpieczeństwie – rzuciła oskarżycielskim tonem – to tylko dlatego, że go tu sprowadziliście. – Widząc, że chłopak otwiera usta, by zaoponować, burknęła: – Proszę cię, nie próbuj mi wmawiać, że jesteś tu, aby się ze mną zobaczyć! – Na koniec rzuciła: – Jeśli naprawdę by wam na nim zależało, zostawilibyście go w spokoju i znaleźlibyście kogoś innego do swoich poszukiwań.

Becka znużyło już to, że rozmawiano o nim, jak gdyby był nieobecny.

– Dzięki, Brihony, ale to nie twój problem – powiedział stanowczo. Ja w tym siedzę ze względu na rodziców. Ty jednak… Ty nie powinnaś się w to angażować… Przykro mi, że w ogóle się cię w to wplątałem. Najlepiej będzie, jeśli…

– Najlepiej będzie, Beck, jeśli zostanę przy moim przyjacielu. Oczywiście, jeżeli planujesz dalej to ciągnąć. A planujesz?

Trzy pary oczu zwróciły się nagle w stronę Becka, ten aż się zaczerwienił. Wiedział, czego chce. Oddać winnych śmierci jego rodziców w ręce sprawiedliwości. Z drugiej jednak strony…

– Muszę to sobie w spokoju przemyśleć. Poza tym obiecałem wujowi, że nie wplączę się w żadną aferę…

Ganan wyglądał tak, jakby miał za chwilę zaprotestować, ale Barega poklepał go uspokajająco po ramieniu.

– Jasne, to duża sprawa. Wracajcie teraz do domu, a ty, Beck, poukładaj sobie wszystko. Jim Rockslide skontaktuje się z tobą, aby zapytać, co postanowiłeś.

– Pamiętaj jednak – dodał cierpko Ganan – nikomu ani słowa. Zrozumiano? *Nikomu.* Lumos ma swoich ludzi na policji, w rządzie... Oni są wszędzie.

* * *

Gdy opuścili magazyn i skierowali się w stronę miasta, było już całkiem ciemno.

– Kupiłam ci tego hot doga – rzuciła chłodno Brihony.

Beck poczuł, jak jego twarz zalewa rumieniec wywołany poczuciem winy. Wiedział, że źle postąpił. Nie powiedział jej, dlaczego przyjechał do Broome, a potem jeszcze ją zostawił. Wiedział też jednak, że nawet jeśli czuła się zraniona, usłyszała na tyle dużo, aby zrozumieć, że został postawiony przed trudnym wyborem.

Beck prawie zapomniał o festiwalu. Parada już się skończyła, a tłum powoli się rozchodził. Nikt nie zwracał uwagi na idącą w milczeniu parę nastolatków.

– Tu jesteście! – Mia Stewart przeciskała się w ich stronę. – Pośpieszcie się, bo nie zdążymy. – Wydawało się, że nie zauważyła panującego między nimi napięcia.

– Nie zdążymy na co? – zapytała Brihony.

– Schody do księżyca! – Matka spojrzała na córkę z czułą irytacją. – Chodźcie!

Beck podążył za nimi. Schody do księżyca? Co za schody? Brihony wspomniała coś o nich wcześniej, ale w tym momencie Beckowi było naprawdę wszystko jedno. Miał na głowie dużo ważniejsze sprawy.

Mia zawiozła ich na Town Beach. Plaża znajdowała się w południowej części miasta, po stronie zatoki Roebuck. Chociaż nie przybyły tam takie tłumy jak na festiwal, i tak zjawiło się sporo ludzi. Smakowite zapachy ze stoisk z jedzeniem przypomniały Beckowi, że od dawna nic nie jadł. Akurat miał miejsce odpływ i wszędzie widać było ciągnące się równiny błotne, schodzące do wody. Patrząc na wschód, dało się dostrzec wiszący nisko nad horyzontem księżyc. Skrywany przez chmury dawał lekką poświatę.

– Mam nadzieję, że wyjdzie zza chmur – z niepokojem rzekła Mia. – Szkoda byłoby to przegapić... – Wtem dostrzegła znajomą i ruszyła w jej stronę na małą pogawędkę.

Beck i Brihony znów zostali sami. Beck wiedział, że być może to ostatni moment, aby powiedzieć to, co miał do powiedzenia. Popatrzył dziewczynie prosto w oczy.

– Przepraszam, że nie byłem z tobą szczery.

Spojrzała na niego podejrzliwie, ale pozwoliła mu mówić dalej.

– Wiesz, podjąłem decyzję. Powiem o wszystkim Alowi, a on pogada z tamtymi facetami. On też jest w to zaangażowany. To znaczy, mój tata był jego bratem. Wuj ma kontakty, więc do odnalezienia Pindariego mógłby zatrudnić profesjonalnego tropiciela. A potem, jeśli nadal będą mnie potrzebowali, żeby odzyskać USB, mogą po mnie posłać. Dałem Alowi słowo i zamierzam go dotrzymać.

Powoli na twarzy Brihony pojawił się uśmiech i Beck wiedział, że mu przebaczyła. Poczuł się też tak, jakby z jego barków zdjęto ogromny ciężar. Nikt nie mógł przecież od niego oczekiwać, że rozwiąże wszystkie problemy tego świata.

Brihony odwróciła się w stronę srebrnej poświaty na niebie.

– Spójrz – powiedziała. – Wychodzi.

Chmury się rozeszły, a Broome rozświetlił blask pełnego księżyca. Tłum zamarł, po czym wydał głośny okrzyk zachwytu. Wtedy Beck to zobaczył.

Błotne równiny nie były wcale gładkie. Przebiegały przez nie marszczenia równoległe do linii brzegu. Były mokre, a blask księżyca wytoczył w poprzek nich złotą drogę zmierzającą w stronę plaży, tak że tylko grzbiet każdej z „fal" był oświetlony, a ich boki pozostawały w cieniu. Tworzyło to ciąg złotych pasów rozciągających się od brzegu do księżyca, co naprawdę wyglądało jak schody.

– Wow – westchnęła Brihony. – Czyż to nie wspaniałe?

Beck poczuł, że na jego twarzy mimowolnie pojawia się uśmiech.

– Wspaniałe.

Było to naprawdę niesamowite. Kolejny przykład na to, jak cudowne rzeczy potrafi stworzyć natura. Gdzieś tam nadal byli źli ludzie, a jego rodzice nie żyli, ale w tej chwili Beck po prostu cieszył się tym, że jest na tej wspaniałej planecie i że ma dobrego przyjaciela.

Mia stała za nimi.

– Tak się cieszę, że mogłeś to zobaczyć, Beck! Chodźcie, zjedzmy coś…

Kupili kilka porcji świeżo ugotowanego ostrego chińskiego makaronu i zajęli miejsce na wydmach, we wgłębieniu otoczonym zaroślami i odciętym od gwaru Broome.

– No to siadajcie wygodnie… – zarządziła Mia. – O, dobry wieczór! – powiedziała, widząc wychodzące im naprzeciw dwie osoby.

Czarne sylwetki odznaczały się na tle jasnego piasku. Beck nie mógł dostrzec innych szczegółów. Nagle twarz Mii zalał snop światła z latarki.

– Masz jedną szansę, paniusiu – warknął męski głos. – Gdzie jest pendrive?

– Może pan przestać świecić mi po oczach? – Oślepiona kobieta zamrugała gwałtownie. – A w ogóle o co…?

Nie skończyła mówić, gdy powietrze przeciął świst. Potem rozległ się głuchy dźwięk uderzenia, jakby ktoś kopnął kawałek drzewa. Mia krzyknęła i upadła na ziemię. Beck ujrzał strużkę czerwonej krwi sączącej się z boku jej głowy.

Mężczyzna, który stał nad panią Stewart, miał szerokie bary i był mocno zbudowany. Pod jego ubraniem wyraźnie rysowały się potężne muskuły. Na głowie, podobnie jak jego towarzysz, miał kominiarkę, w ręku trzymał kij do baseballu.

Światło latarki przesunęło się teraz na Becka i Brihony.

Mężczyźni odwrócili się w ich stronę, a oni przylgnęli do siebie mocniej.

– To samo pytanie – powiedział pierwszy z nich. – Gdzie jest pendrive?

ROZDZIAŁ 8

Beck i Brihony powoli zaczęli się wycofywać. Ich serca biły jak szalone. Mia nadal leżała na piasku. Beck wytężał wzrok, starając się dostrzec coś w ciemności. Czyżby jej głowa właśnie się poruszyła? Nie był pewny. Prawdopodobnie żyła, ale była nieprzytomna. Beck znał się jednak na uderzeniach w głowę i wiedział, że rzeczywistość nie przypomina filmów i człowiek nie budzi się po paru minutach zdrów jak ryba. Utraty świadomości nie można lekceważyć. W dodatku Mia oberwała masywną pałką – mogła mieć uraz czaszki, krwotok wewnętrzny…

– No dobra, dzieciaki, możemy to rozwiązać po mojemu albo będzie bolało. – Mężczyzna złowieszczo postukał kijem o zakrytą rękawicą dłoń. –

Po prostu oddajcie nam USB, a zostawimy was w spokoju.

Beck z trudem przełknął ślinę przez suche gardło. Nie miał wątpliwości, dla kogo pracowało tych dwoje, ale najwidoczniej zostali źle poinformowani. To Pindari miał pendrive'a. Ale gdyby powiedział o tym napastnikom, pomyśleliby, że próbuje blefować.

– Słuchajcie – zaczął – my nie…

– OK. – Mężczyzna wydawał się zrezygnowany. – A więc będzie bolało. Mój kolega zacznie od stóp doktor Stewart i będzie łamać po kolei każdą kosteczkę, aż wreszcie powiecie nam coś interesującego.

Drugi oprych stanął nad Mią, uniósł kij nad jej stopami i zamachnął się.

– Dobrze! – krzyknęła Brihony. Pałka zawisła centymetr nad kostkami jej mamy. – Dobrze. Dobrze. – Dla dodania sobie odwagi wzięła kilka głębokich oddechów. Jej głos drżał, ale opanowała się. – Jest w torebce. – Wskazała obok. – Tam.

Beck starał się nie okazywać żadnych emocji, aby niczego nie zepsuć. Mia położyła torebkę na piasku tuż przed atakiem. Nie wiedział, w co gra Brihony, ale jeśli miała jakiś plan, to i tak było to więcej, niż on mógł teraz wymyślić. Być może Mia nosiła w torebce pendrive'a. Przecież na pierwszy rzut oka nie zgadną, że to nie ten, którego szukają?

Mężczyźni spojrzeli na siebie porozumiewawczo, po czym jeden z nich podniósł torebkę i podał ją Brihony.

– Opróżnij ją – polecił.

Brihony zrobiła to, co kazał, choć palce trzęsły się jej, gdy pociągała za zamek. Przewróciła torebkę do góry dnem i wysypała jej zawartość na piach. Mężczyzna poświecił latarką na powstały stosik, również Beck przyjrzał się uważnie. Portmonetka, szminka, paczuszka chusteczek, telefon… Nic, co by przypominało pamięć USB.

Podczas gdy jeden zbir pilnował dwójki przyjaciół, drugi przykucnął i zaczął grzebać w kupce przedmiotów. Po chwili spojrzał w górę.

– Nie ma.

– Na litość boską, co za idiota! – warknęła Brihony i nie zważając na ostrzegawczy ruch ręki stojącego na straży mężczyzny, sama przetrząsnęła porozrzucane rzeczy.

– Jest. Jest tutaj. Proszę.

Trzymała coś małego w kształcie walca. Wyciągnęła rękę w stronę mężczyzny, a gdy ten się pochylił, nacisnęła „zatyczkę", z której wytrysnęła chmura gazu.

Oprych zawył i zatoczył się do tyłu, zakrywając dłońmi twarz. Kolega rzucił się w jego stronę, ale zawadził o Mię. To wystarczyło, by również dostał aerozolem po oczach. Wrzeszcząc z bólu, cofnął się i zderzył ze swoim towarzyszem, po czym obaj zwalili się na piach niczym drewniane kłody.

– Rusz się. – Brihony chwyciła Becka za rękę i pociągnęła go za sobą. Dopiero teraz zauważył, że płakała. – No chodź…

Spojrzał na Mię. Czuł się okropnie, zostawiając ją samą, mimo że potrzebowała lekarza. Nie mógł jednak nic zrobić, dopóki tych dwóch znajdowało się w pobliżu.

Wdrapali się po zboczu i pobiegli przez wydmy, uciekając jak najdalej od morza.

– Co to było?

– Gaz obronny.

– Nieźle.

Idąc po miękkim piasku, przy każdym kroku się potykali. Po chwili Beck obejrzał się za siebie. Mężczyźni właśnie wdrapali się na wydmy. Księżyc cały czas mocno świecił i Beck wiedział, że na tle jasnego podłoża, są bardzo widoczni.

Musieli sprowadzić pomoc. Znajdowali się w piętnastotysięcznym mieście – nie powinno być to trudne! Problem jednak w tym, że drogę do ludzi na plaży blokowali bandyci, a oni sami, uciekając w przeciwnym kierunku, nie mieli kogo poprosić o wsparcie. Nie mogli teraz zawrócić i poszukać kogoś gotowego poświadczyć, co właśnie zaszło, gdyż zostaliby złapani, nim ktokolwiek dowiedziałby się o całym zdarzeniu.

Ziemia pod stopami stała się już trochę bardziej ubita, na horyzoncie pojawiły się zarysy budynków. Teraz już łatwiej było biec, co niestety oznaczało, że ścigający ich mężczyźni też będą poruszać się szybciej, a przy ich wydłużonym kroku, wkrótce dogonią uciekającą parę. Beck i Brihony musieli wykorzystać swoją przewagę teraz, gdy tamci nadal próbowali wydostać się z plaży.

Tuż przed nimi wyrosły sklepy i stragany, ale wszystkie były zamknięte.

– Co to za miejsce? – zapytał Beck.

– Apex Park. Mama tu zaparkowała. Musimy dostać się do samochodu.

– Umiesz prowadzić?

– Nie, ale jest tam mój telefon…

Beck spojrzał za siebie i dostrzegł, że mężczyźni są już niedaleko.

Wtem znaleźli się na asfalcie. Biegnąc przez opustoszały plac, Beck nie oglądał się już, nie chcąc zwalniać ani trochę. Ich auto stało na samym końcu, nadal daleko. Chłopak zastanawiał się też, jak mieli się do niego dostać. Przecież Mia je chyba zamknęła...

Wreszcie znaleźli się u celu. Beck próbował otworzyć pierwsze lepsze drzwi, ale tak jak się spodziewał, na próżno. Odwrócił się. Mężczyźni byli już prawie przy nich.

Brihony szukała czegoś pod przednim nadkolem. Nagle zamrugały światła i centralny zamek się odblokował.

– Zapasowy klucz w pudełku magnetycznym! – zawołała, machając nim z dumą przed nosem Becka.

Beck wskoczył do tyłu i zatrzasnął za sobą drzwi. Gdy Brihony domykała swoje, jeden z mężczyzn złapał za klamkę i pociągnął. Szarpali się przez dłuższą chwilę, aż w pewnym momencie dziewczyna puściła drzwi, które odskoczyły tak gwałtownie, że napastnik stracił równowagę i poleciał do tyłu. Brihony zatrzasnęła drzwi w momencie, gdy drugi zbir chwycił za ich krawędź. Aż zatoczył się z bólu, trzymając się za przygniecione palce. Wtedy uruchomiła centralny zamek i z głośnym kliknięciem wszystkie drzwi automatycznie się zablokowały.

Beck nerwowo obserwował oprychów. Niby szyby w aucie są mocne, ale nie czuł się pewnie, wiedząc, że tylko to dzieli go od kija baseballowego. Wgramolił się na siedzenie obok Brihony, która nerwowo wystukiwała numeru telefonu.

– Policja? Dobry wieczór. Jestem w Apex Park i dwóch mężczyzn właśnie...

Jeden z napastników zamachnął się i uderzył kijem w okno. Wytrzymało, ale pokryło się charakterystyczną pajęczynką.

– Słyszał pan to? Tak, jestem zamknięta w samochodzie, a tych dwóch nas atakuje. Wcześniej pobili moją mamę. Leży nieprzytomna na plaży i potrzebuje karetki...

Mężczyzna ponownie walnął pałką w szybę, powiększając pęknięcie. Beck kilka razy nacisnął klakson; przeraźliwy dźwięk odbił się echem po całym parkingu. Miał nadzieję, że ktoś przyjdzie sprawdzić, co się dzieje.

– Tak, to mój kolega... – Brihony powiedziała do słuchawki.

Napastnicy zaniechali ataku, ale nie odchodzili. Rozglądali się niespokojnie rozdarci między pragnieniem dorwania zamkniętych w samochodzie dzieciaków a chęcią ucieczki, zanim zjawi się pomoc. Krążyli wokół auta niczym wilki pod drzewem, na którym skryła się ich ofiara. Beck nie przestawał trąbić.

W końcu dobiegł ich dźwięk syren. Jeden ze zbirów uderzył kijem w maskę, aby dać wyraz swojej frustracji, po czym razem z kolegą uciekł w mrok dosłownie parę sekund przed przyjazdem radiowozu.

Beck i Brihony otworzyli drzwi, dopiero gdy ujrzeli ubranego w uniform policjanta.

ROZDZIAŁ 9

Nie widzieliście, jak wyglądali? Żadnego z nich? – zapytała funkcjonariuszka.

Brihony potrząsnęła głową bez słowa.

Mia leżała nieprzytomna za szybą, a wokół krzątali się lekarz i pielęgniarka, podając jej tlen. Zapewniono ich, że to normalna procedura. Podanie pacjentowi dodatkowej dawki tlenu miało jedynie na celu wspomóc regenerację organizmu.

– Czy mama mogła mieć jakichś wrogów? Może ostatnio się z kimś pokłóciła? Na przykład w pracy?

Brihony potrząsnęła głową.

– Nie.

W ciągu tych paru sekund dzielących moment ucieczki mężczyzn od przyjazdu policji,

Beck i Brihony uzgodnili, że nie będą wspominać o Lumosie. Ganan powiedział, że koncern ma wszędzie wtyki. Mówienie o nim mogłoby narazić na duże niebezpieczeństwo wielu ludzi.

Lekarz wyszedł z pokoju. Miał miły, ciepły uśmiech, który sprawiał wrażenie całkowicie szczerego.

– Brihony? Sprawa wygląda tak. Twoja mama doznała pęknięcia włoskowatego czaszki i przypuszczalnie stłuczenia pnia mózgu. Ocena jej oznak życiowych jest jednak dobra. Prawdopodobnie pozostanie w śpiączce przez dwa lub trzy dni, ale to normalne. Oznacza tylko, że wraca do sił. Gdy się obudzi, będzie musiała zostać tu na obserwacji. Najważniejsze, że najgorsze ma już za sobą. Każdy kolejny dzień przyniesie tylko poprawę.

Brihony stała przez chwilę bez słowa, z zamkniętymi oczami, a na jej twarzy pojawiło się uczucie ulgi, gdy dotarło do niej, że wszystko będzie dobrze.

– W takim razie pewnie nie ma sensu, abyśmy tu siedzieli?

– To zależy od was. Możecie zostać, jeśli chcecie, ale może to być nużące. Czy macie dokąd pójść? A co z twoim ojcem? Powinniśmy się z nim skontaktować.

– Nie mieszka z nami, a poza tym teraz gdzieś wyjechał – wyjaśniła Brihony.

– Dwoje dzieci nie może tak po prostu iść bez opieki do domu – wtrąciła policjantka. – Czy jest ktoś, z kim moglibyśmy się skontaktować, aby was odebrał? Ktoś z rodziny? Przyjaciel?

Brihony chciała coś powiedzieć, ale Beck ją ubiegł.

– Poradzimy sobie, dziękuję. Zadzwonię do kilku znajomych.

Brihony pokiwała głową potwierdzająco. Policjantka wyglądała na nieco zaskoczoną. Być może zastanawiała się, dlaczego chłopak z brytyjskim akcentem przejął nagle pałeczkę w rozmowie.

– Cóż, jeśli jesteście pewni. Gdybyście sobie coś przypomnieli, dajcie znać. W przeciwnym razie pozostanie nam tylko czekać, aż mama się obudzi i powie, co się wydarzyło.

„Powodzenia" – pomyślał Beck. Mia nie wiedziała nic o Lumosie. Nie domyśli się, kto za tym wszystkim stoi. Napawało go to gniewem. Mężczyźni mówili o pamięci USB, co nie pozostawiało cienia wątpliwości, dla kogo pracowali. Ludzie z Lumosu byli jednak głupi, jeśli myśleli, że on i Brihony już mają pendrive'a. To nie tylko byli bandyci skłonni zabić, to byli *głupi* bandyci skłonni zabić. Co czyniło ich jeszcze bardziej niebezpiecznymi. Kto wie, kogo teraz zaatakują?

Brihony odczekała, aż policjantka oddali się na tyle, aby ich nie słyszeć, po czym szepnęła:

– Zrobisz to, prawda? Odnajdziesz Pindariego…

Skinął głową.

– Muszę to zrobić. Nie tylko dla ludzi, którzy chcą uratować tę ziemię, ale dla samego siebie. I dla rodziców.

Beck długo nad tym myślał. Niby obiecał wujowi, że nie wpakuje się w żadne tarapaty, ale Mia doznała poważnych obrażeń i możliwe, że to samo czeka kolejne osoby, jeśli ktoś nie powstrzyma Lumosu. Zabójcy jego rodziców nie zostali złapani i mogą zaatakować ponownie. Jeżeli wierzyć Gananowi, koncern ma swoich ludzi wszędzie. Nikt nigdzie nie był bezpieczny. Beck nie chciał wciągać w to Ala. Już zbyt wiele osób, które kochał, ucierpiało.

Jeśli tylko on może to wszystko zakończyć, musi działać. I musi działać sam.

– Czy mogę pożyczyć twój telefon? – zapytał Brihony. – Mój został u was w domu.

Zalogował się na PlaceSpace i wysłał wiadomość do Jima Rockslide'a.

* * *

Barega i Ganan zabrali ich ze szpitala. Jeździli bez celu po mieście, bo jak zauważył Ganan, było dość prawdopodobne, że dom Brihony znajduje się pod obserwacją Lumosu.

– Po pierwsze – powiedział Beck – jeśli chcecie, abym odnalazł Pindariego, muszę wiedzieć, gdzie mniej więcej zacząć szukać. Australia jest dość spora.

– Też to zauważyłeś? – rzucił z uśmiechem Barega, ignorując grymas Ganana, który uważał, że żarty zdecydowanie były teraz nie na miejscu. – Bez obaw. Zabierzemy cię w jego okolice.

– Super. Po drugie… – Beck wskazał na swoje ubranie: T-shirt, szorty i adidasy. – To zupełnie nie nadaje się na pustynię, a ja nie wziąłem ze sobą nic odpowiedniego. Musicie skombinować ekwipunek dla mnie i dla siebie. Koszule z długimi rękawami, długie spodnie i tak dalej. Wszystko powinno być luźne, aby zapewnić przepływ powietrza i zapobiec zbyt szybkiemu odparowywaniu potu. Kapelusze z dużym rondem. Wytrzymałe buty.

– A co z zapasami? – zainteresował się Ganan.

– Wysokoenergetyczne koncentraty i dużo wody. W takim klimacie traci się trzy i pół litra w ciągu godziny.

– Będziemy w pobliżu rzeki – zauważył Barega. – Woda to nie problem.

– Jeśli tylko ją oczyścimy. Będziemy potrzebować butelek. Mam na myśli porządne pięciolitrowe baniaki, a nie małe buteleczki, które kupuje się w sklepach. Jeśli mamy zapuścić się w głąb lądu, musimy naprawdę dobrze się przygotować.

– Spokojna głowa – zapewnił go Ganan. – Zajmiemy się tym jednak dopiero rano, jak się wyśpimy. – Było już po północy i perspektywa snu przedstawiała się bardzo kusząco. – Wynajęliśmy pokój. Będzie trochę tłoczno, ale bezpiecznie. Ludzie z Lumosu nie powinni nas namierzyć.

– Jak tylko wstaniemy – wtrąciła Brihony – pojedziemy po moje ubrania.

Beck spojrzał na nią.

– Jak to?

– Beck, naprawdę myślisz, że po tym, co się stało, usiądę z założonymi rękami i będę czekać? – Brihony patrzyła mu spokojnie w oczy, choć na moment jej głos zadrżał. – Przypominam ci, że dziś prawie roztrzaskano czaszkę mojej mamie! Chcę dorwać tych, którzy to zrobili!

Beck musiał przyznać jej rację. On też chciał pomścić rodziców. To była dokładnie taka sama sytuacja. Mimo to…

– Brihony, nie obraź się, ale nie możemy brać pasażerów – wtrącił się Ganan.

– Nie możecie brać pasażerów? – Brihony wbiła w niego lodowate spojrzenie. – Sami jesteście pasażerami! I sami to przyznaliście. Tylko Beck ma niezbędne doświadczenie! To on dowodzi…

– To prawda! – przerwał jej Beck. – I dlatego właśnie nie ma mowy, abym naraził cię na niebezpieczeństwo…

ROZDZIAŁ 10

Łódź kolebała się, płynąc wolno w górę rzeki.

– Słuchajcie – powiedział Barega, uśmiechając się szeroko – kiedyś musicie zacząć ze sobą rozmawiać.

Beck i Brihony spojrzeli na siebie z gniewem i odwrócili wzrok. W głębi serca Beck wiedział, że Brihony ma rację. Przedstawiła im wszystkie swoje argumenty, podczas gdy oni próbowali ją przekonać, aby została. Zbiry z Lumosu z łatwością by ją dopadły. Nie mogła przecież siedzieć cały czas w szpitalu. A gdyby pojechała do ojca, kiedy ten już wróci, naraziłaby na niebezpieczeństwo także i jego. W domu byłaby jeszcze bardziej bezbronna. Policja nie miała żadnych podstaw, aby uwierzyć, że coś jej grozi, więc nie zapewniłaby jej ochrony. Przyłączenie się do Becka, Ganana i Baregi wydawało się najsensowniejszym rozwiązaniem.

Jednak Beck nie lubił przegrywać wojny na argumenty, tym bardziej że gdzieś w środku obawiał się, iż kolejna bliska mu osoba zostanie skrzywdzona. Usiłował przekonać dziewczynę, że to nie będzie bułka z masłem. Czekają ich upał, zmęczenie i pragnienie... Nic nie przemawiało do Brihony. „Dzięki za ostrzeżenie – odparła – ale wiem wszystko o trudnych warunkach na Outbacku. Jeździłam tam pod namiot częściej, niż jestem w stanie sobie przypomnieć". Beck tylko westchnął i zdecydował nie drążyć tematu. Wiedział, że nie wygra.

Trzymali się razem, nie odchodząc nigdzie nawet na chwilę. Brihony i Beck usnęli na parę godzin na podłodze dzielonego przez obu mężczyzn pokoju. Rano zjedli śniadanie w barze, po czym Beck zajął się gromadzeniem ekwipunku. Aż strach było pomyśleć, że bierze na siebie odpowiedzialność za życie całej czwórki.

Wyglądał już, jak należy. Miał na sobie bawełnianą koszulę z długim rękawem i wytrzymałe bojówki z dodatkowymi kieszeniami i otworami wentylacyjnymi w nogawkach, które gwarantowały odpowiednią cyrkulację powietrza. Wykonany z owczej skóry kapelusz z szerokim rondem osłaniał twarz i barki przed ostrym słońcem.

Każdemu dał butelkę z wodą. Jego dyndała na biodrze, przywiązana do solidnego pasa, który założył na skos przez klatkę piersiową. Przy pasku od spodni zawiesił maczetę o trzydziestocentymetrowym ostrzu wykonanym z twardej lśniącej stali. Jedna z jej krawędzi była tępa, druga zaś ostra niczym brzytwa.

„Pindari z pewnością odniósłby się z pogardą do takiej broni" – pomyślał Beck. Staruszek powiedziałby, że jego lud przeżył tysiące lat bez tego typu rzeczy. Beck jednak nie był Aborygenem, a maczeta niejeden raz uratowała mu życie. Nie zamierzał wybierać się na Outback bez niej.

Barega i Ganan też mieli na sobie nowiutkie ubrania, Brihony znalazła odpowiednią odzież u siebie w szafie. Przez pełnych napięcia pięć minut czekali, aż wrzuci wszystko do torby i wybiegnie z domu. Przy okazji Beck zabrał swój telefon i coś jeszcze, co zawiesił na sznurówce na szyi.

Krzesiwo było jego najlepszym i najstarszym przyjacielem. Dostał je od ojca wiele lat temu. Składało się z krótkiego pręta i płaskiej blaszki. Pręt wykonano ze specjalnego spieku metalicznego o cechach piroforycznych. To sprawiało, że potarty innym metalem wytwarzał iskry. Twarda stalowa blaszka to właśnie tarnik. W ten sposób ogień można łatwo rozpalić nawet podczas deszczu. Beck wykorzystywał krzesiwo w różnych miejscach, od dżungli po Arktykę. Gdy zawiesił je na szyi, poczuł, że jest gotowy.

Ganan i Barega zdobyli małą łódkę, którą załadowali na przyczepę SUV-a, po czym całą czwórką wyruszyli w głąb lądu. Na początku jechali porządną autostradą, ale potem zjechali na pełne kolein bite drogi. W końcu dotarli do rzeki, która była najlepszą trasą prowadzącą do miejsca, gdzie zaszył się Pindari.

Łódka miała silnik zaburtowy i małe zadaszenie. Mężczyźni usiedli na rufie, Brihony i Beck pośrodku. Zapasy i sprzęt – skrzynki z konserwami, butelki z wodą, śpiwory oraz namioty – poukładali na dziobie.

Rzeka była brudna, błotnisto brązowa, ale mimo sześciomiesięcznych upałów stan jej wody nadal był wysoki. Wiła się niczym wąż, przecinając wąwozy i klify z czerwonego piaskowca. U podnóży skał ciągnęły się równe przybrzeżne tereny, które – jak dobrze Beck wiedział – w porze deszczowej zalewała wzbierająca woda.

Niebo przypominało błękitną kopułę rozciągniętą od jednego do drugiego punktu na horyzoncie. Słońce prażyło przez zadaszenie i nawet bryza niosła ze sobą gorące podmuchy powietrza. Beck po raz kolejny pomyślał, jak łatwo w tym kraju można uciec od cywilizacji. Zaparkowali przy rzece, zepchnęli łódź do wody i wypłynęli. Pięć minut później mieli już wrażenie, że cofnęli się w czasie o milion lat. Nie widać było żadnego śladu człowieka.

Wtem Brihony zesztywniała, próbując dojrzeć coś w oddali.

– Ganan, odbij nieco w prawo! – zawołała.

– Dlaczego? – zapytał Aborygen.

Wciąż postrzegał ją jako zbędny balast.

– Dlatego – wycedziła z irytacją – że wprost przed nami jest krokodyl.

ROZDZIAŁ 11

Ganan pociągnął za drążek sterowy, powodując nagły skręt łodzi tak, że Beck musiał złapać się siedzenia, aby nie spaść. Wyciągnął szyję, aby dostrzec coś w wodzie, ale nie zobaczył nic poza ciemnym mułem.

– Jaki to gatunek? – zainteresował się Ganan.

– Krokodyl różańcowy oczywiście – oznajmiła Brihony.

Barega przysunął się do nich, przytrzymując się burty, aby nie stracić równowagi. Podobnie jak Beck przyglądał się uważnie tafli wody.

– Nic nie widzę.

– W tym sęk – żachnęła się Brihony. – Ty ich nie widzisz. To *one* widzą *ciebie.*

Beck wiedział, że choć krokodyle różańcowe lubią słoną wodę, równie dobrze egzystują w wodzie słodkiej, na przykład w rzekach.

I nagle go zobaczył.

Muśnięcie tafli tuż przed nimi, nieznaczny ruch, który można było przypisać kawałkowi drewna dryfującemu pod powierzchnią i przypominającemu dwie czarne plamki oddalone od siebie o mniej więcej trzydzieści centymetrów. To były oczy krokodyla. Reszta pozostawała w ukryciu. Mimo że zwierzę mogło znajdować się zaledwie parę centymetrów pod powierzchnią, nigdzie nie było widać jego potężnego cielska.

Brihony wskazała krokodyla Baredze, a ten z kolei pokazał go Gananowi, który ostrożnie ominął zwierzę.

– Nie wygląda groźnie – zauważył Barega.

Brihony uśmiechnęła się.

– Nigdy nie wyglądają groźnie, dopóki nie zaatakują. Potem jest już za późno…

– Jak duże mogą być? – zapytał Ganan.

– Średnio mierzą pięć metrów. – Głos Brihony nabrał ciepłej barwy, gdy zaczęła mówić na bliski jej sercu temat. – Ale zdarzają się osobniki sześcio- albo siedmiometrowe. Przeciętnie ważą czterysta pięćdziesiąt kilo.

Beck aż zagwizdał z podziwu. Z ukrycia obserwowała ich pięciometrowa maszyna do zabijania. Chłopak już wcześniej widział krokodyle na wolności, ale nie przestawały one go zadziwiać. W końcu chodziły po Ziemi jeszcze w czasach dinozaurów i miały miliony lat, aby udoskonalić swoją naturę drapieżcy. Bez względu na to, gdzie żyją i jakie osiągają rozmiary, z reguły zachowują się podobnie. Są sprytne, cierpliwe i niesamowicie silne – długo mogą przetrwać bez jedzenia. Patrząc na nie w zoo, trudno uwierzyć, że to mistrzowie kamuflażu; znacznie łatwiej w to uwierzyć, próbując dostrzec je w wodzie koloru ich łusek.

Ślepia zanurzyły się, gdy łódź przepłynęła obok, jednak Beck był pewien, że gad wpatrywał się w nich, dopóki pozostawali w zasięgu jego wzroku.

– Trzeba było zabrać broń – wymamrotał Ganan.

Brihony obróciła się raptownie.

– Jak możesz coś takiego mówić? Co one ci zrobiły?

– Nic – odpowiedział, spoglądając na dziewczynę z ukosa – i lepiej, żeby tak pozostało.

– Krokodyle jedzą to, czego potrzebują. Zjadają słabe i chore zwierzęta.

– Czyli te, które nie zdążą uciec?

– Właśnie! Są częścią ekosystemu. Inne zwierzęta potrafią z nimi współżyć. Oprócz głupich ludzi, którzy niszczą ich populację. Kłusownicy polują na nie, ponieważ skóra krokodyla różańcowego jest warta więcej niż jakakolwiek inna, i nikt się tym nie przejmuje, bo przecież krokodyle to po prostu bezmyślni zabójcy.

Ganan wyszczerzył zęby w uśmiechu, co tylko zirytowało Becka, który zrozumiał, że mężczyzna celowo podpuszcza Brihony.

– Dobra, Ganan, przestań! – Barega upomniał przyjaciela.

W tym momencie Beck obrócił się i ujrzał, że łódź zmierza w kierunku brzegu.

– Uwaga!

Ganan, pochłonięty drażnieniem Brihony, zupełnie zapomniał o sterowaniu. Teraz pociągnął raptownie za drążek i zawrócił łódź na środek rzeki.

Szybki manewr spowodował, że Barega prawie wypadł za burtę.

– Uważaj trochę!

– Przepraszam – bąknął Ganan.

Łódź wróciła na obrany kurs, a Beck na miejsce obok Brihony.

– Zresztą, i tak nie zaatakują łodzi! – powiedział, przewracając oczami.

Brihony zawahała się na moment, po czym odparła:

– Rzadko się to zdarza.

– Co?

– Rzadko atakują łodzie.

Ganan wlepił w nią wzrok.

– A więc *atakują* łodzie?

– Nie chodzi im o łodzie, ale o mięso, które nimi steruje. Jeśli będą głodne, a nadarzy się okazja, zaatakują człowieka. I wierzcie mi, nie jest to miły sposób odejścia z tego świata.

* * *

Kolejno obejmowali wartę na dziobie i przy sterze. W ciemnej wodzie łatwo było przegapić jakąś przeszkodę tuż pod powierzchnią. Gdyby łódź uderzyła w kłodę, mogłoby się to kiepsko skończyć, nie mówiąc o tym, co by było, gdyby ta kłoda okazała się krokodylem…

Aby zaspokoić głód, przegryzali batoniki z suszonymi owocami. Konkretny posiłek czekał ich dopiero pod koniec dnia. Teraz jednak zbyt dużo jedzenia mogłoby doprowadzić tylko do odwodnienia organizmu. Beck pilnował, aby pili wodę regularnie, choć Barega i Ganan twierdzili, że nie czują pragnienia.

– Człowiek potrzebuje półtora litra płynów dziennie, nawet jeśli nie wykonuje żadnej czynności fizycznej – wyjaśnił. – Ktoś, kto wędruje w taki upał, musi pić tyle co godzinę. Cieszcie się więc, że na razie płyniemy.

Ganan miał mapę, ale wolał posługiwać się GPS-em. Beck jednak na nią spoglądał, porównując zaznaczone zakręty i łuki z otaczającym ich krajobrazem. Zgodnie z mapą znajdowali się na skraju terytorium Jugunów, ale od kryjówki Pindariego dzieliło ich jeszcze kilka godzin.

Nigdzie nie było ani śladu ludzi, coraz bardziej urozmaicona robiła się za to przyroda. Wskazując co chwilę na otaczające ich stworzenia, Brihony zupełnie zapomniała o kłótni z Beckiem.

W pewnej chwili nad ich głowami przeleciała gromadka ptaków – szwadron lśniących zielonych myśliwców. Przypominały one trochę grot strzały zakończony podobnym do dzidy długim dziobem.

– Żołny – oznajmiła Brihony.

Beck patrzył zauroczony sposobem, w jaki okrążały się wzajemnie, nie wpadając na siebie i pikując w pogoni za zbyt małymi, aby je dostrzec, owadami. W każdej chwili wiedziały dokładnie, gdzie znajdują się inni członkowie grupy.

W cieniu u stóp klifu odpoczywały trzy czy cztery kangury. Zdegustowane warkotem silnika oddaliły się na bezpieczną odległość. Mimo że każdy skok można było mierzyć w metrach, wydawało się, że nie wkładają w to żadnego wysiłku.

Minęli też parę dingo – dzikich psów, których krótka i gruba ruda sierść zawsze przywodziła Beckowi na myśl fryzurę na jeża. Pochyliły się, żeby napić się wody z rzeki, jednak cały czas podejrzliwie ich obserwowały i nastawiały uszu.

Kawałek dalej po kamieniach podążał z mozołem waran. Nie bacząc na nikogo ani na nic, co tylko nie zakłócało jego spokoju, niczym robot podnosił sztywno raz jedną, raz drugą nogę i powoli posuwał się naprzód. Beck nie miał wątpliwości, że dingo dałyby mu do wiwatu, gdyby tylko były głodne, chociaż mogłoby spotkać się to z odpowiednim odwetem. Przyroda na Outbacku, tak jak i w innych zakątkach świata, żyje w równowadze. Tu liczy się tylko przetrwanie.

Myśląc o dingo, Beck poczuł nagle niepokój. Zazwyczaj unikały one upałów i wychodziły dopiero o zmierzchu lub o świcie. Spojrzał w górę. Słońce chowało się już powoli za urwistymi zboczami. Zerknął na zegarek i zmełł cisnące mu się na usta przekleństwo. Wyszedł już z wprawy. Miał być ekspertem od survivalu, a zapomniał o tym, że w okolicach równika ściemnia się dużo wcześniej. Zostało im raptem pół godziny.

– Na dziś już wystarczy – zakomunikował.

Ganan chrząknął niezadowolony. W ciągu dnia każde z nich siedziało przy sterze, teraz znowu przyszła kolej na niego.

– Jest całkiem jasno, możemy płynąć dalej jeszcze kilka dobrych godzin…

– Owszem, jest jasno – zgodził się Beck – ale tutaj zmierzch zapada dużo szybciej. A potrzebujemy czasu, żeby rozbić obóz.

Ganan wzruszył ramionami.

– Mamy nawigację. Ekran jest podświetlany.

Beck starał się trzymać nerwy na wodzy.

– GPS nie pokazuje, gdzie są mielizny, skały, kłody czy krokodyle. Dalsza podróż jest ryzykowna. Po prostu mi zaufaj. Proszę.

Stojący do tej pory na dziobie Barega podszedł do nich i zapytał, co się dzieje.

Beck i Ganan odpowiedzieli równocześnie:

– Nie chce się zatrzymać…

– Nie chce płynąć dalej…

– Na miłość boską! – krzyknęła Brihony. – A może by tak jakiś kompromis? Popłyńmy jeszcze pół godziny.

Beck potrząsnął głową.

– Za pół godziny będzie już za ciemno… – Przerwał, bo nagle zdał sobie sprawę, że cała ich czwórka stoi na rufie. – Kto trzyma wartę?!

I wtedy usłyszeli chrzęst i trzask, coś gwałtownie szarpnęło łodzią. Barega potknął się i upadł na Ganana. Ten przewrócił się na drążek sterowy i przepustnicę. Silnik zawył głośno, a łódź przyśpieszyła do pełnej prędkości. Wydawało się, że stracili grunt pod nogami. Machając bezładnie rękami, Beck i Brihony próbowali chwycić się czegokolwiek, ale nie mieli szansy.

ROZDZIAŁ 12

W jednej chwili Beck znalazł się za burtą. W uszach dźwięczał mu przytłumiony odgłos silnika i unoszących się w górę bąbelków. Energicznie zaczął odpychać się nogami i rękami, aż wypłynął na powierzchnię. Woda spływała mu po twarzy, a mokre włosy przysłoniły oczy. Zaraz po nim, chlapiąc nerwowo, wynurzyła się Brihony. Parę metrów dalej widać było dryfującą z prądem kłodę, w którą uderzyli. Łódź nadal pędziła w stronę przeciwległego brzegu, mimo że Ganan i Barega rozpaczliwie próbowali nad nią zapanować.

Beck rozejrzał się. Od najbliższego lądu dzieliło ich około dwudziestu metrów.

– Płyniemy – wydyszała Brihony i już ruszała żabką, kiedy Beck zawołał:

– Nie, nie! Zanurkuj! – Przypomniał sobie o czającym się w rzece niebezpieczeństwie.

– Co?! – Dziewczyna spojrzała na niego osłupiała. – Tam mogą być krokodyle!

– O to chodzi! Zaufaj mi! – zawołał, złożył się niczym scyzoryk i zniknął pod wodą.

Brihony unosiła się przez chwilę bez ruchu, w końcu jednak zanurkowała.

Nic nie było widać. Głuchy warkot silnika zlewał się z dobiegającymi zewsząd odgłosami stukania, bulgotania i brzęczenia. Beck starał się nie myśleć o podążającym ich śladem pięciometrowym pokrytym łuską gadzie, jego ostrych zębach i pazurach. Pewnie nawet by się nie zorientował, że jest blisko. Butelka już w połowie pusta, niczym pływak unosiła się ku powierzchni, ciągnąc go za sobą. Czuł silną pokusę, aby się jej pozbyć, ale wiedział, że w ten sposób skaże się tylko na wolniejszą śmierć.

W końcu wynurzył się, żeby zaczerpnąć powietrza. Do brzegu zostało mu nie więcej niż ćwierć drogi. Nabrał powietrza i ponownie zanurkował. Płynął żabką i choć ciężkie buty spowalniały jego ruchy, mocno odpychał się nogami, by jak najszybciej wydostać się z wody.

Mimo wszystko nie mógł powstrzymać się od wyobrażania sobie ataku krokodyla. W ciągu sekundy miałby złamany kręgosłup i zmiażdżone płuca. Potem zwierzę zaciągnęłoby go do podwodnej nory i schowało jego ciało pod skałą lub jakąś kłodą, aż zacznie się rozkładać, bo choć siła zgryzu tych gadów jest ogromna, to nie potrafią one przeżuwać. Następnie drapieżnik wyciągnąłby padlinę, odchylił głowę, a jedzenie dosłownie wpadłoby mu wprost do żołądka. Okropne… Szybko wyrzucił ten obraz ze swoich myśli.

Gdy tylko poczuł muł pod stopami, wstał i rozpryskując wodę na boki, zaczął biec. Brihony tuż za nim. Wyskoczyli na brzeg, ale nie zatrzymali się, dopóki nie znaleźli się u podnóża ściany z piaskowca. Dopiero wtedy stanęli i spojrzeli za siebie. Barega i Ganan zdołali opanować łódź, ale jej dziób był prawie całkiem zanurzony.

Beck stał pochylony, opierając ręce na kolanach, aby złapać oddech. Zerknął na Brihony.

– Widzisz? Pod wodą jest bezpieczniej!

Mimo zmęczenia uśmiechnęła się szeroko, również próbując uspokoić oddech.

– No tak, miałeś rację... Na powierzchni krokodyl może cię pomylić z płynącym zwierzęciem. Pod wodą raczej weźmie cię za mieszkańca rzeki i zostawi w spokoju...

– Proszę, proszę – Beck wyszczerzył zęby – nawet krokodyli ekspert może się od czasu do czasu czegoś nowego nauczyć!

– Jest to jednak coś, czego nie zamierzam nigdy, przenigdy wykorzystać! – Brihony spojrzała na drugą stronę rzeki. – Co ci idioci znów wyprawiają?

Łódź dobiła szczęśliwie do brzegu i została wyciągnięta na ląd. Barega podawał Gananowi pudła ze sprzętem.

Beck wyjął z kieszeni telefon. Wyświetlacz nie działał, a z obudowy ciekła woda. Zmarszczył brwi. To by było na tyle, jeśli chodzi o taki sposób komunikacji. Ostrożnie podszedł do brzegu. Brihony podążyła tuż za nim, wypatrując każdego najmniejszego ruchu lub pływającej kłody, która mogła okazać się zupełnie czymś innym.

Beck złożył dłonie, uniósł je do ust i krzyknął:

– Co się dzieje?

Jego głos odbił się echem o klify po przeciwnej stronie.

– Na dziobie jest dziura! – odkrzyknął Ganan. – Nie możemy płynąć, dopóki jej nie załatamy!

– Ciekawe, czyja to wina – mruknęła pod nosem Brihony.

Beck nie widział sensu w drążeniu tego, kto za to odpowiada.

– Jak długo to potrwa? – zawołał.

– Mamy zestaw naprawczy. Zgodnie z instrukcją włókno szklane potrzebuje dwudziestu czterech godzin, aby całkiem wyschnąć!

– Mamy tkwić na tym wygwizdowie *cały dzień*?! – zaprotestowała Brihony.

Beck westchnął. Nie było sensu walczyć z czymś, na co nie mieli wpływu. Zawołał więc po raz ostatni:

– Rozbijemy tu obóz! Wejdziemy wyżej, żeby być poza zasięgiem krokodyli! Zgadamy się rano!

Brihony wbiła w niego wzrok.

– Rozbijemy obóz? Jak? Sprzęt jest na łodzi!

Beck nie mógł się z tym nie zgodzić. Popatrzył na siebie i Brihony. Jego kapelusz spadł do rzeki i teraz pewnie płynie gdzieś z prądem. Nadal miał maczetę i butelkę. Brihony ściągnęła kapelusz sznureczkiem na szyi, zabezpieczając się przed jego utratą. Poza tymi rzeczami i ubraniami, które mieli na sobie, nie dysponowali jednak niczym innym.

Beck westchnął. Tak bardzo marzył o normalnych wakacjach, normalnym łóżku, normalnym jedzeniu. Survivalu miał po dziurki w nosie.

– Damy radę – powiedział i dodał z uśmiechem: – A myślałem, że wiesz wszystko o obozowaniu…

– Oczywiście, jeśli polega ono na jedzeniu konserw przy ognisku i spaniu w namiotach – odparła Brihony.

– Tu będzie prawie tak samo. Tylko bez konserw i namiotów.

– A ognisko?

– Z tym nie będzie problemu…

– Trzeba było tak od razu.

Wspięli się po wąskim zboczu na szczyt wznoszącego się nad rzeką urwiska. Powoli zaczęło się ściemniać i wkrótce po drugiej stronie niczego nie dało się już dostrzec.

– Miałeś rację z tym, żeby się wtedy zatrzymać – przyznała Brihony.

Beck skinął tylko głową, rozglądając się dookoła. Niedaleko z małej szczeliny skalnej wyrastał baobab wielkości małego domu. Gruby, chropowaty pień, dużo większy niż pajęczyna gałęzi w koronie. Jedna z tych gałęzi obumarła i złamała się. Beck szybko sprawdził drzewo, ale nie miało żadnych owoców ani liści, które byłyby jadalne. Korzenie młodych baobabów stanowiły doskonałe pożywienie, lecz na tych pewnie połamaliby sobie zęby.

Na szczęście nie groziła im śmierć głodowa. Nawet na takim pustkowiu można znaleźć coś, jeśli tylko się wie, gdzie szukać. Beck *wiedział*, gdzie szukać, ale nie chciał grzebać w ziemi po ciemku. Trzeba widzieć, co się wykopuje. Australijskie węże i pająki są o wiele bardziej jadowite niż ich kuzyni zamieszkujący pozostałą część świata. Na tym pustkowiu nie ma zbyt wielu zwierząt, więc gdy już jakaś jadowita bestia dopadnie swoją ofiarę, chce mieć pewność, że będzie martwa, nim zdąży uciec.

A więc nici z przekąski, ale wciąż mogli zrobić sobie między pniem a brzegiem szczeliny legowisko i osłonić się przed wiatrem.

– Dobra, tu się zatrzymamy – zakomunikował Beck, piętą buta znacząc teren. – Jesteś głodna? – zapytał dla porządku.

– Właściwie nie. Zjadłam batona zaraz przed kraksą.

– Ja też nie.

Brihony otuliła się ramionami. Byli cali mokrzy, a temperatura zaczęła spadać.

– Dobrze by było się za to rozgrzać. Co z tym ogniskiem?

– Zaraz będzie. – Beck wskazał na leżącą obok drzewa gałąź. – Weź z tego, ile zdołasz. Małe gałązki, większe kawałki drewna, wszystko, co będzie się palić. Zanim cokolwiek podniesiesz, postukaj albo mocno w to kopnij. Nigdy nie wiadomo, coś może mieszkać w środku i ugryźć.

– A potem przyjadę do ciebie do Anglii – odparowała Brihony – i dam ci wykład na temat *angielskiej* przyrody. Byłam pod namiotem raz czy dwa, wiesz?

– Przepraszam. – Beck uśmiechnął się i podał dziewczynie maczetę. – Użyj tego. Ja poszukam czegoś na podpałkę.

Światło było coraz gorsze, ale to mu nie przeszkadzało. Już z łodzi dostrzegł wiele rzeczy, które mogły się nadać, na przykład puchowiec pięciopręcikowy. Jest on wyższy niż człowiek, lecz cienki, z łatwością można przyciągnąć go do siebie. Miękkie, puszyste liście kształtem przypominają liście klonu, tak jakby ktoś skrzyżował rozpostartą dłoń z asem pik. To, czego szukał Beck, znajdowało się jednak między liśćmi. Były to torebki nasienne.

Przypominały owalne, twarde orzechy wielkości ludzkiej dłoni. Beck zebrał ich sporo i zaniósł do obozowiska zawinięte w koszulę.

Tymczasem Brihony zdołała usypać już stosik drzewa. Poobcinała martwą gałąź, jak tylko się dało, i pozbierała inne gałązki. Z mniejszych kawałków ułożyła niewielkie tipi, a nad nim oparła większe, zostawiając między nimi miejsce na podpałkę.

Chłopak wysypał swoją zdobycz na kamień i pochylił się. Wziął maczetę i mocno ją trzymając, uderzył rączką, z hukiem rozłupując torebki. Następnie włożył koniec ostrza w pęknięcie i przekręcając, otworzył każdą z nich.

Wewnątrz znajdowało się to, czego szukał. Sztywne niczym sucha wata włókna. Beck uformował z nich kulkę i włożył w środek drewnianego tipi.

– I co teraz? – zapytała Brihony. – Będziemy pocierać dwa patyki?

– Można i tak – Beck ściągnął z szyi krzesiwo – ale długo to trwa.

Przysunął pręt do kłębka włókien i potarł go blaszką, aż posypały się iskry. Powtórzył ten zabieg jeszcze kilka razy i w końcu włókna się zatliły. Złotopomarańczowe języczki zaczęły wspinać się po kosmykach, pożerając każdy z nich. Chłopak pochylił się nad ogniem i lekko dmuchnął. Pomarańcz zmienił się w żółć, potem w biel i rozlał się na cały kłębek. Dołożył patykiem jeszcze trochę włókna, obserwując, jak płomienie stopniowo wypełniają przestrzeń między gałęziami. Ogień wyciągnął wilgoć z polana, która parując, pod wpływem ciśnienia powodowała charakterystyczny trzask. Był to odgłos, w który Beck od zawsze uwielbiał się wsłuchiwać; znak, że ogień dobrze się rozpalił. Zapach dymu drażnił nozdrza, a fala ciepła muskała lekko twarz.

– Można jednak zrobić to szybciej…

– Nieźle, Beck!

* * *

Siedzieli przy ognisku, czując, jak ich ubrania powoli wysychają. Humor nieco im się poprawił.

Zdjęli buty i oparli je przodem do ognia. Nie była to ich normalna pora spania, ale Beck wiedział, że obudzą się wraz ze wschodem słońca. Nie mieli przecież zasłon, które mogłyby zapewnić osłonę przed promieniami jeszcze przez parę godzin dłużej. Umościli się więc po dwóch stronach ogniska, starając się zasnąć.

Beck leżał na plecach z rękami pod głową i patrzył w niebo. Bezlistne gałęzie baobabu były za cienkie, aby zasłonić mu widok.

– Wow... – szepnął.

Niebo usiane było milionem migocących światełek. W Anglii nigdy nie widział tylu gwiazd. Al często opowiadał mu, jak kiedyś udało mu się przy dobrej widoczności ujrzeć Drogę Mleczną nawet na angielskim niebie. Było to jednak za czasów, gdy światła miast nie biły aż taką jasnością. Teraz jedynie najjaśniejsze z gwiazd są w stanie przebić się przez tego typu „zanieczyszczenie".

Tutaj tego nie było. Galaktyka jawiła się jako jasny pas gwiazd, szeroki na wielkość dłoni i rozciągający się przez całe sklepienie. Nie tylko to okazało się odmienne. Na południowej półkuli można oglądać też inne konstelacje. Beck widział już niebo południowe, ale za każdym razem ogarniał go zachwyt. Tu, po drugiej stronie świata, nawet postać przedstawiająca człowieka na księżycu stoi do góry nogami. Jeden z gwiazdozbiorów, Krzyż Południa, jest tak dobrze widoczny, że został umieszczony na fladze Australii. Znajduje się nisko nad horyzontem i składa z czterech głównych punktów, z których dwa, tworzące poprzeczną część krzyża, leżą lekko pod kątem, a całość otacza łuna mniejszych gwiazd.

Powieki Becka robiły się cięższe i cięższe, czuł coraz większą senność. „Ciekawe, jak radzą sobie Barega i Ga…". Zasnął.

ROZDZIAŁ 13

Beck nagle się ocknął. Leżał, wpatrując się w rozżarzone węgielki. Dlaczego się obudził? Przecież nie było mu niewygodnie. Przyzwyczaił się już do spania na ziemi, a jego ubranie prawie wyschło. Pomyślał o dingo, ale te z reguły trzymały się z dala od ludzi. Na terenie Kimberley nocą słychać było różne odgłosy, ale nic szczególnie charakterystycznego, nic, co mogłoby wyrwać kogoś ze snu. Był to po prostu odgłos rozległej, bezkresnej krainy, od miliona lat żyjącej tym samym rytmem.

Nagle rozległ się krzyk, a zaskoczony Beck aż usiadł. Za chwilę zerwał się i podszedł do ogniska po traperki. Ziemia pod stopami wydawała się chropowata i sucha. Ostrożnie włożył buty, wpatrując się w ciemność po drugiej stronie rzeki. Wąwóz przypominał czarny rów i nic nie można było dostrzec. Wtem zatańczyły światła latarek, które Ganan i Barega mieli w plecakach. Poruszające się blade plamy w pewnym momencie ukazały czarny zarys czegoś, co przyprawiło chłopaka o dreszcz.

Trwało to tylko parę sekund, Beck zdążył jednak zobaczyć wystarczająco dużo. Potężne cielsko sunęło wolno i cicho wzdłuż brzegu. Mężczyźni musieli rozbić obóz blisko wody.

– Co się stało? – zapytała Brihony, siadając tuż obok niego.

– Krokodyl jest w ich obozie.

– O nie!

Znów usłyszeli krzyki. Beck nastawił uszu, chcąc rozpoznać jakieś słowa.

– Wygląda na to, że są cali.

– Skąd wiesz?

– Gdyby byli ranni, nie krzyczeliby, ale wrzeszczeli.

Brihony odetchnęła z ulgą.

– W takim razie powinni być bezpieczni. Krokodyl stracił element zaskoczenia.

– A to ich najlepsza broń – przytaknął Beck.

– Zgadza się. Krokodyle lubią mieć kontrolę nad sytuacją – dodała Brihony. – Polują z ukrycia. Atakują ofiary, które nie są w stanie walczyć lub nie zorientowały się w porę. Prawdopodobnie zostawi ich teraz w spokoju, skoro już go widzieli.

– Słyszałem gdzieś, że mięśnie zamykające pysk krokodyla znacznie przewyższają siłą te, które go otwierają…

– Tak. To dlatego dorosły człowiek może przytrzymać zamknięty pysk krokodyla, ale gdy ten już otworzy paszczę, jedno kłapnięcie…

– I po tobie. – Beck popatrzył raz jeszcze w ciemność po drugiej stronie. – Cóż, nic nie możemy zrobić…

Wtem zamarł. Coś poruszyło się w ciemności.

– Uciekaj! – krzyknął i pociągnął Brihony, aby pomóc jej wstać.

Dziewczyna zachwiała się i odwróciła w jego stronę, chcąc zapytać, o co chodzi, kiedy zobaczyła pysk, a potem resztę cielska.

„Musiał wdrapać się na zbocze, tak jak my" – pomyślał Beck, chociaż wydawało mu się to nieprawdopodobne, bo podejście było dość strome. Mógł przywieść go tutaj ich zapach albo zwykła ciekawość. Nie zmieniało to jednak faktu, że krokodyl był tuż-tuż.

Cofnęli się w dwie strony, nie spuszczając wzroku ze zwierzęcia, które wytrwale posuwało się naprzód, kołysząc się na boki i wbijając w ziemię pazury gotowe przebić stal. Gad nie śpieszył się, jakby rozważając, które z nich zaatakować pierwsze. Był ogromny – szerszy niż wyższy, ale gdyby podniósł łeb, byłby niemal tak wysoki jak Beck. Łuski pokrywające jego grzbiet poruszały się harmonijnie, jakby były zrobione maszynowo. Wystające mimo zamkniętego pyska zęby, długie jak palce Becka, wskazywały linię szczęki i żuchwy.

Chłopak w myślach zaczął rozważać opcje.

Odgonić go czymś? Zerknął na suchą gałąź leżącą obok ogniska. Była grubości męskiej nogi, ale zbyt ciężka, aby ją unieść i użyć jako kija.

Przytrzymać mu pysk? Nie miał zamiaru nawet próbować.

Beck stawał już wcześniej twarzą w twarz z wygłodniałymi niedźwiedziami i tygrysami, które rykiem oraz obnażonymi zębami próbowały ukarać go za wtargnięcie na ich teren. Krokodyl zachowywał się jednak zupełnie inaczej. Był całkowicie spokojny i pozbawiony emocji. Nie można było odczytać jego myśli. Zwierzę to stworzone było do biesiadowania, a oni stanowili po prostu parę przypadkowych soczystych i miękkich ssaków, wyśmienity obiad.

Próbował sobie przypomnieć, gdzie leży maczeta. Była to ich jedyna broń, chociaż nie do końca skuteczna w tym przypadku. Może udałoby mu się wymierzyć cios w ślepia... Niestety, nie mógł znaleźć noża, nie odrywając oczu od sunącego w ich kierunku krokodyla. Zdecydowanie nie zamierzał tego robić.

– Policzę do trzech – powiedział, starając się opanować drżenie głosu – i biegniemy za drzewo, a potem wdrapujemy na nie tak szybko, jak się da, dobra?

– Do... – Głos Brihony załamał się i musiała powtórzyć. – Dobra.

– Jeden, dwa...

W tym momencie krokodyl zaatakował Becka. Chłopak rzucił się w bok, przeskoczył ognisko i popędził w kierunku baobabu. Gad był tuż za nim, ale Beck wiedział, dokąd biegnie. Nastolatek zdawał sobie sprawę, że jeśli zwierzę przetnie mu drogę, to koniec. Potężne cielsko wpadło w ogień, rozrzucając niespalone jeszcze kawałki drewna. Rozżarzony węgiel sprawił ból i na chwilę zatrzymał drapieżnika.

Brihony pierwsza dotarła do baobabu, ale nie mogła dosięgnąć żadnej gałęzi. Gdy tylko Beck do niej dołączył, przyklęknął i zrobił z dłoni siodełko, aby ją podsadzić.

– Szybko!

Mieli tylko parę sekund. Brihony włożyła stopę w jego dłonie, a Beck podniósł ją najwyżej, jak potrafił. Zaraz potem odskoczył za drzewo, unikając kolejnego ataku krokodyla.

Teraz przynajmniej dzielił go od agresywnego gada rozłożysty pień. Beck zdawał sobie jednak sprawę, że taka zabawa w kotka i myszkę szybko znudzi się napastnikowi, tym bardziej że był on dużo szybszy. Poza tym nie było pewności, że jest sam. Być może hałas sprowadził inne krokodyle. Beck musiał jakoś odwrócić uwagę zwierzęcia, aby dołączyć do Brihony.

Ponownie spojrzał na uschniętą gałąź. Mogła się przydać nie tylko do walki. Powoli zaczął przesuwać się w jej kierunku. Zdążył schylić się i włożyć ręce pod gałąź, kiedy gad ruszył przednimi łapami i nieoczekiwanie uderzył. Chłopak uniósł gałąź nad głowę i rzucił ją w otwarty pysk.

Szczęka zatrzasnęła się, a drewno rozprysło się na boki, ale Beck biegł już w stronę drzewa, zerkając tylko na krokodyla, który potrząsał gwałtownie głową. Miał zdobycz w pysku i instynkt podpowiadał mu, że musi ją pokiereszować i dobić. Dopiero po chwili drapieżnik zorientował się, że został oszukany, jednak Beck zdążył już wtedy dopaść baobabu. Podskoczył, próbując znaleźć jakieś podparcie dla stóp na cętkowanym pniu. Przytrzymując się nogami, aby nie spaść, Brihony pochyliła się i wyciągnęła rękę. Wkładając w to całą swoją siłę, zdołała podciągnąć chłopaka, który opadł miękko w uformowane z gałęzi „gniazdo". Mógłby przysiąc, że poczuł podmuch powietrza, kiedy krokodyla paszcza kłapnęła raptownie tuż obok jego stopy.

ROZDZIAŁ 14

To była długa i wyczerpująca noc. „Gniazdo" było na tyle duże, aby pomieścić ich oboje, ale nie zapewniało zbytniej wygody i nie można było się wyciągnąć. Nawet jeśli udawało im się zdrzemnąć z opuszczoną głową, gwałtownie się budzili, mając wrażenie, że zaraz spadną.

Gdy w końcu z ciemności wyłonił się zarys wzgórz i wąwozu i świt okrył różową poświatą całą wyżynę Kimberley, ich oczom ukazało się pobojowisko. Zniszczone ognisko wygasło, od czerwonej ziemi odcinała się ciemna smuga popiołu, wokół walały się zwęglone gałązki.

Choć krokodyla nigdzie nie było widać, ostrożnie zeszli z drzewa, niepewni, czy zwierzę nie czai się gdzieś w pobliżu. Beck omiótł spojrzeniem obozowisko. Maczeta stała oparta o pień tam, gdzie ją zostawił. Rozejrzał się za butelką po wodzie, która była teraz na wagę złota. Znalazł ją nieopodal. Ucieszyło go to prawie tak samo bardzo jak nieobecność ich nieproszonego gościa.

Już miał ją podnieść w triumfalnym geście, aby pokazać Brihony, gdy nagle zobaczył smutek na jej twarzy. Wyglądała tak, jakby zaraz miała się rozpłakać.

– Przepraszam, Beck – powiedziała.

– Za co? – zapytał zaskoczony.

– Myślałam… Myślałam, że jesteśmy bezpieczni dostatecznie daleko od rzeki. Mama by wiedziała… gdyby była z nami…

Beck zdał sobie sprawę, że od wczoraj prawie zupełnie nie myślał o Mii Stewart, podczas gdy Brihony musiała myśleć o niej nieustannie.

– Ej, to nie była twoja wina! – pocieszył ją. – Miałaś przecież rację, że atakują z ukrycia, prawda? Krokodyl odszedł, bo poczuł się nieswojo, tracąc element zaskoczenia.

– Trochę trwało, zanim to do niego doszło – odparła niepewnie.

– Najważniejsze, że już go nie ma. Powinniśmy sprawdzić, co z resztą.

Beck sięgnął po buty Brihony, odwrócił je i wytrzepał porządnie, żeby pozbyć się ewentualnych przedstawicieli australijskiej przyrody (skorpiony i pająki mogły łatwo pomylić traperki z przytulną, ciemną i chłodną jaskinią, w której da się przeczekać skwar dnia). Następnie podeszli na skraj urwiska.

Panował spokój. Rozległa rzeka płynęła swoim rytmem, jakby nigdy nic. W pobliżu wyciągniętej na odległym brzegu łodzi nie widać było ani Baregi, ani Ganana. Serce Becka zaczęło walić jak młotem. „Proszę, nie pozwól, aby zginęli w paszczy krokodyla. Proszę...".

Zmrużył oczy, wpatrując się w dal. Zza skarpy po drugiej stronie wąwozu sączyła się cieniutka smużka dymu. Złożył dłonie i uniósł je do ust, nabierając powietrza. Następnie krzyknął:

– Hej! Ganan? Barega? Jesteście tam?

Dźwięk jego głosu odbił się echem, po czym ucichł. Wtem coś się poruszyło i w oddali pojawiły się dwie postaci. Beck poczuł, że zalewa go poczucie ulgi. To było niczym zimny prysznic w gorący dzień.

– Beck? Czy to ty? – zawołał Barega.

Brihony stanęła obok Becka.

– Nie, to Jej Wysokość Królowa i Gubernator Generalny – mruknęła pod nosem.

Beck uśmiechnął się szeroko.

– Dobrze spaliście? – zawołał.

– Bez rewelacji! – Barega nie zdawał sobie sprawy, że Beck wiedział, co zaszło poprzedniej nocy, więc było to dość powściągliwe stwierdzenie. – Musicie uważać! W pobliżu są krokodyle!

– Co ty nie powiesz? – odkrzyknął Beck. – Dzięki, będziemy mieć oczy otwarte!

Brihony wybuchła śmiechem.

– Przepraszam, ale nie możemy przynieść wam nic na śniadanie! – kontynuował Barega.

Śniadanie! Dopiero teraz Beck poczuł, jak bardzo jest głodny. Sporo czasu minęło od ich ostatniego batonika, a całe nocne zajście spaliło sporo kalorii. Potrzebowali jedzenia.

– Nie przejmuj się! – zawołał. – Zwołamy się później!

Wrócili do obozowiska. Beck podniósł prawie pustą butelkę. Niestety, w pobliżu znajdowało się tylko jedno źródło wody.

– Lepiej, żeby krokodyle pozwoliły mi ją napełnić – rzucił zamyślony.

– Zanim to zrobisz, przejdź trochę wzdłuż plaży – poradziła mu Brihony. – Oddal się od miejsca, w którym wyszliśmy wczoraj na brzeg. Krokodyle mają dobrą pamięć i jeśli zobaczą, że jakieś zwierzę przychodzi do określonego punktu, aby się napić, następnym razem tam na nie czekają.

– Jasne. Pilnuj z góry.

Ruszył ostrożnie w dół występu skalnego, bacznie obserwując taflę wody. Następnie przeszedł jeszcze dwadzieścia metrów i zatrzymał się. Napełnił butelkę bulgocącą przy nabieraniu wodą, zakręcił korek i pośpieszył tą samą drogą w górę. Wtem przystanął, a jego oczy pojaśniały.

– Co się stało? – zaniepokoiła się Brihony.

– Właśnie zobaczyłem śniadanie! Wypatruj krokodyli.

Nie dostrzegł poprzedniej nocy, że na zboczu klifu rosło chude powykręcane drzewko o korze koloru pozbawionej życia szarości, niczym stary popiół. Był to figowiec, którego owoce stanowiły doskonałe źródło energii.

Beck wspiął się parę metrów. Korzenie drzewa wrosły w zbocze i stanowiły dobre podparcie dla dłoni i stóp. Dosięgnął najbliższych liści. Miały owalny kształt i pokryte były delikatnym futerkiem, które zatrzymywało wilgoć. Beck włożył palce w listowie, odnajdując to, czego szukał. Żółte owoce wielkości moreli rosły w małych kiściach. Ścisnął je lekko, żeby sprawdzić, jak bardzo są twarde, a następnie zerwał, ile tylko dał radę i wypełnił sobie nimi kieszenie. Zerknął na brzeg i pośpiesznie wrócił do Brihony.

Dotarłszy na szczyt, rozejrzał się. Zielona równina i czerwone skały zaczęły już lekko drżeć w gorących promieniach słońca. Beck był wdzięczny za każdy milimetr cienia rzucany przez baobab, tym bardziej że nie miał kapelusza. Gdy zdecydują się ruszyć dalej, będzie musiał jakoś sobie z tym poradzić.

Postanowił sprawdzić, czy może jeszcze jakoś urozmaicić ich śniadanie. Podczas gdy Brihony zajęła się odbudowywaniem ogniska, zaczął szukać czegoś, co mogło stanowić dodatek do fig. Za dnia czuł się znacznie bezpieczniej.

Za pomocą maczety odchylił kamień. Ukrywający się tam wielki pająk zamachał nerwowo cienkimi brązowymi nóżkami, oburzony, że mu ktoś przeszkadza. Beck wolał nie zbliżać się do australijskich pająków, więc położył kamień na miejscu.

Następnie znalazł coś długiego i kolczastego, z dużą liczbą nóg i zdecydowanie za dużą ilością włosów. Przetoczyło się obok, posuwając przednią i tylną częścią ciała na wprost, a środkiem jakby opływając przeszkody.

„Nie dziękuję" – pomyślał Beck. Długie włosy na tego typu stworzeniu wyglądały na element obronny. Mogły nakłuć skórę drapieżcy i w najlepszym przypadku spowodować nieznośne swędzenie albo też okazać się trujące. Gdyby pozbawić je włosów i ugotować, zwierzę mogło nadawać się do zjedzenia, ale nie warto było ryzykować.

Gałąź, która ocaliła Becka przed krokodylem poprzedniej nocy, została przegryziona na dwie części, ale nadal mogła się przydać. Gdy podniósł ją lekko końcem maczety, na jego dłoń wypadła wijąca się larwa, rozmiaru małego palca. To już było coś. Dalsze poszukiwania w miękkim drewnie zaowocowały sześcioma larwami.

– Larwy chrząszcza huhu! Jadłaś? – zapytał wesoło, podsuwając je Brihony.

Zmarszczyła nos.

– Nie, mama kiedyś próbowała.

Radość Becka w jednej chwili zgasła. Jedyną pewność, jaką mieli, że Mia będzie zdrowa, pochodziła z zapewnień lekarza. Brihony musiała dużo bardziej przeżywać to, co się dzieje z jej mamą, niż to pokazywała na zewnątrz.

– Cóż, to nasze śniadanie – oświadczył Beck, siląc się na optymizm.

Oboje utknęli w sercu dzikiego pustkowia. Nie mogli pozwolić, aby ogarnęła ich depresja z powodu zaistniałej sytuacji, ani też przejmować się tym, na co nie mieli wpływu. Musieli myśleć pozytywnie. „Przyjmuj przeciwności losu z uśmiechem" – zwykł mawiać ojciec Becka.

Brihony najpierw znieruchomiała, a potem na jej twarzy pojawił się grymas.

– Śniadanie? To znaczy, pierwszy posiłek dnia?

– To jedyny typ śniadania, jaki znam – odparł Beck z szerokim uśmiechem.

– Żartujesz? Prawda? – Dziewczyna powoli podniosła oczy, błagając go spojrzeniem, by powiedział, że to nieprawda.

Widząc wyraz jej twarzy, Beck nie mógł powstrzymać śmiechu.

– Naprawdę nigdy ich nie próbowałaś, gdy wcześniej jeździłaś pod namiot?

– Kurczę, jak to się mogło stać? Jedliśmy z najzwyklejszych puszek najzwyklejsze ciepłe dania, podczas gdy mogliśmy jeść *robale*!

– Cóż, z tego też mogę zrobić ciepłe danie. No chyba że wolisz na zimno.

– Na ciepło – stwierdziła stanowczo. – Zmyli to moje zmysły i nie będę myśleć o tym, co naprawdę jem.

Beck naostrzył maczetą kije i nabił na nie larwy, które następnie opiekli w ognisku. Musieli jednak uważać, gdyż zbliżając pędraki zbyt blisko ognia, mogli spalić je na popiół i wtedy byłyby już do niczego. Beck wiedział z doświadczenia, że na zimno skórka larw nie ma smaku, a środek przypomina ciągnącą się wydzielinę, na ciepło można sobie wyobrazić, że to minikiełbaski. Prawie.

Pędraki zagryzali figami, które były jednak niemal tak samo nieapetyczne. Owoce po otwarciu odsłaniały czerwony miąższ wypełniony setkami pestek. Było dość miąższu, aby się w niego wgryźć, ale w smaku i dotyku przypominał on stary karton.

Popili posiłek kilkoma łykami wody, którą najpierw dobrze zagotowali. Po raz pierwszy w trakcie wyprawy pili wodę prosto z rzeki. Wydawała się miększa i miała wyrazisty, nieprzyjemny posmak.

– Chyba mogę szczerze powiedzieć – odezwała się Brihony, usiłując stłumić czknięcie – że był to najobrzydliwszy posiłek, jaki kiedykolwiek...

Umilkła i wraz z Beckiem podniosła wzrok, gdy dobiegł ich wypełniający ciszę basowy dźwięk. Nie mogło go wydać żadne współczesne urządzenie, żadne zwierzę. Brzmiał jak skrzyżowanie chmary rozzłoszczonych insektów z jednostajnym odgłosem kół roweru jadącego po asfalcie. Wydawało się, że powoduje wibracje ziemi, podnosząc się i opadając, i znów się podnosząc, i rozbrzmiewając echem przez pustkowia Outbacku.

– Co to jest, do licha?

– Czurynga! – wykrzyknął Beck, podrywając się z miejsca. Po chwili wypatrzył coś. – Widzisz, tam?

Parę kilometrów dalej na mieniącej się w żarze równinie wznosiła się formacja skalna z czerwonego piaskowca. Na jej szczycie widniała czarna plamka. Postać ludzka, która – jak się wydawało – macha jedną ręką. Coś kołowało nad jej głową niczym ptak.

– Gdy Pindari mnie trenował, używał czuryngi, aby mnie wezwać. Myślę, że to właśnie on!

ROZDZIAŁ 15

Choć dźwięk ucichł, a postać w okamgnieniu zniknęła, Beck wciąż wpatrywał się w miejsce, gdzie jeszcze przed chwilą stała.

– Naprawdę myślisz, że to Pindari? – zapytała Brihony.

– Nie wiem... Ale kto inny grałby na czuryndze na takim odludziu?

– Hm, no... ktokolwiek...

Beck uśmiechnął się. Brihony miała rację.

Nic innego na świecie nie wydaje z siebie podobnego brzmienia. Po prostu nie da się go porównać do *niczego*. Przymocowane do skręconego sznurka, specjalne uformowane spłaszczone drewienko lub kamień zostaje wprawione w ruch obrotowy, co nadaje mu rotację i wywołuje charakterystyczne huczenie. Instrument ten liczył sobie już tysiące lat i był wykorzystywany przez prymitywne ludy na całym świecie w celu komunikacji na odległość. Pindari był w tym mistrzem.

– Powiem tak. Nawet jeśli to nie był Pindari, nikt nie używa takich rzeczy dla zabawy. Służą do przesyłania wiadomości. Ktoś próbował się z nami skontaktować. Chciał zwrócić naszą uwagę.

– No dobra. To mu akurat wyszło. Ale co teraz?

– Cóż, na pewno nie mówił: „Halo, jestem tutaj". Myślę, że raczej chciał powiedzieć: „Przyjdźcie do mnie".

Beck nie był przekonany, że sam sobie wierzy. Po prostu czuł, że to Pindari.

Wpatrywali się w formację skalną. Zdawała się być tak blisko. Gdyby dzieliła ich równina, którą Beck mógłby pokonać w linii prostej, przebiegłby taki dystans w ciągu paru minut. Ale ten teren nie był ani płaski, ani łatwy, między nimi a wniesieniem znajdowało się wiele przeszkód.

– Może sam do nas przyjdzie… – bąknęła Brihony.

– Ale po co by o tym zawiadamiał? Dlaczego po prostu się nie pojawił?

– Może powinniśmy pójść go o to zapytać?

Beck zamyślił się. Perspektywa wędrówki przedstawiała się znacznie ciekawiej niż bezczynne siedzenie do wieczora, jak pierwotnie planowali. Kosztowałaby ich jednak sporo energii, a bez zapasów i sprzętu naraziliby się na większe niebezpieczeństwo. Gdy chodzi o przetrwanie, zazwyczaj najlepiej nie ruszać się z miejsca i czekać na ratunek. Powód uzasadniający jakiekolwiek przemieszczanie się musi być naprawdę dobry.

Beck jednak miał *dobry* powód. Przybył tu, aby odnaleźć Pindariego i poprosić go w imieniu Jugunów o przekazanie pamięci USB. To prawdopodobnie była ich jedyna szansa, nie mógł jej zaprzepaścić.

– Może powinniśmy – przytaknął i wstał, ważąc w myślach wszystkie opcje. Co mogło pójść nie tak? Odpowiedź brzmiała: „Wszystko”.

Nie mieli jedzenia, ale on wiedział, jak je znaleźć. Nie mieli ekwipunku, ale byli odpowiednio ubrani, a on umiał sobie radzić w trudnych warunkach. Największy problem stanowiła woda; im cieplej i wilgotniej, tym większe ryzyko odwodnienia. Czasem śmierć przychodzi już po paru godzinach.

Odwodnienie to nie tylko uczucie pragnienia, którego zresztą, gdy stan jest poważny, właściwie się nie czuje. Rośnie też tętno, traci się kontakt z rzeczywistością, organizm zaczyna odmawiać posłuszeństwa – mięśnie wiotczeją, znika zdolność koncentracji, bywa, że człowiek nie jest w stanie dotrzeć po pomoc, gdyż jego umysł i ciało są już za słabe, i w końcu umiera. Nie wolno doprowadzić do takiego stanu.

Oni mieli na spółkę zaledwie jedną pięciolitrową butelkę. Po dwa i pół litra na głowę wystarczy im, żeby dotrzeć do skały i wrócić. A nawet gdyby musieli iść dalej, dzięki Pindariemu Beck umiał pozyskać wodę.

– Więc? – zapytała Brihony, obserwując Becka, który trwał w zamyśleniu.

– Więc musimy wiedzieć, dokąd idziemy.

– Tam? – Dziewczyna wskazała na skałę.

– Tak, ale musimy wiedzieć którędy.

Skała była widoczna, ale poza tym nic nie odróżniało jej od jakiegokolwiek innego wzniesienia. Bardzo łatwo mogliby zgubić ją pośród innych formacji w okolicy. Beck wbił piętę w ziemię, wytyczając prostą linię wskazującą miejsce, gdzie stał mężczyzna. Miało to pomóc im je odróżnić, przynajmniej patrząc z punktu, w którym teraz się znajdowali. Następnie uniósł lewy nadgarstek i mrużąc oczy, ustawił zegarek pod kątem względem słońca. W przeciwieństwie do komórki czasomierz o wodoszczelności stu metrów bez trudu przetrwał kąpiel w rzece.

– Co robisz?

– Ustalam strony świata. Na półkuli południowej na słońce należy skierować godzinę dwunastą. Linia wyznaczająca połowę kąta zawartego między nią a wskazówką godzinową wskazuje linię północ–południe. Na półkuli północnej odwrotnie, na słońce trzeba skierować wskazówkę godzinową. Północ jest – Beck machnął – tam. To oznacza, że kierujemy się na...

– Północny wschód – dokończyła Brihony, patrząc na kąt zawarty między wskazanym przez Becka kierunkiem a linią narysowaną na ziemi.

– Niemal dokładnie.

– Nieźle.

* * *

Ich towarzysze wydawali się mniej zadowoleni, gdy Beck zakomunikował im swoją decyzję.

– No dobra! Ale jak was odnajdziemy? – zawołał Ganan.

– Może wrócimy jeszcze przed wieczorem! – odkrzyknął Beck. – Ale gdybyśmy nie wrócili, zostawiłem na ziemi znak wskazujący kierunek! Będę cały czas znaczyć dla was trasę!

– Jak długo może nas nie być? – zapytała zdziwiona Brihony. – On nie był tak daleko.

– Nie był, gdy go widzieliśmy – poprawił ją Beck. – Jeśli to był Pindari i jeśli się przemieszcza, to już nie wiemy, gdzie jest, prawda? Może nas też zabrać do miejsca, gdzie ukrył pamięć USB.

Patrząc na jej zadumaną twarz, odgadł, że o tym wcześniej nie pomyślała.

Mężczyźni po drugiej stronie rzeki wymienili parę zdań.

– Wołałbym, żebyście nie szli sami! – poinformował ich w końcu Ganan.

– Dam radę! Przecież dlatego mnie potrzebowaliście, nie?

„Poza tym i tak pójdę" – dodał w myślach Beck. Podjął już decyzję i nie miał zamiaru prosić się o pozwolenie. Odnalezienie Pindariego mogło pomóc Jugunom, on miałby szansę dowiedzieć się więcej na temat śmierci rodziców, a Brihony oddać w ręce sprawiedliwości ludzi, którzy skrzywdzili jej mamę. Korzyść dla wszystkich oprócz Lumosu – i dobrze. Mimo to nie chciał otwarcie sprzeciwiać się Baredze i Gananowi.

– Dobra! – Usłyszeli po krótkiej chwili. – Jeśli wrócicie jeszcze dziś, to super! Jeśli nie, to pójdziemy za wami! Gdybyśmy zgubili ślad, wrócimy tutaj i będziemy czekać! Ufamy ci, Beck! Jak nikomu innemu!

„Nie, ufacie Pindariemu, który zaufał mnie" – pomyślał Beck, ale krzyknął tylko:

– Spoko! Do zobaczenia!

Zeszli nad rzekę, pamiętając o tym, aby zatrzymać się w innym miejscu niż poprzednio, i wypili, ile tylko zdołali.

– Najlepiej nieść wodę w sobie – powiedział Beck.

Napełnili butelkę po raz ostatni i wrócili do obozowiska. Pięć litrów to nie piórko i Beckowi wcale nie podobało się, że będą musieli taszczyć taki ciężar, ale nie mieli wyboru. Poza tym – pocieszał się – w miarę upijania będzie im coraz lżej. Optymizmem napawało go to, że oddalą się od rzeki. Outback pełen był innych niebezpiecznych stworzeń, ale bez ostrzeżenia najczęściej atakowały krokodyle różańcowe.

Robiło się coraz bardziej upalnie. W cieniu baobabu było tylko gorąco, ale już kilka kroków dalej słońce prażyło nie do wytrzymania. Choć niechętnie, Beck musiał zadbać o jeszcze jedną rzecz, nie mógł więcej tego odkładać.

– Czy... – Brihony popatrzyła na niego podejrzliwie, zaskoczona nutką niepewności w jego głosie. – Czy... mogłabyś się na chwilę odwrócić?

– Po co?

– Bo muszę... yyy... Bo muszę... ściągnąć spodnie.

Brihony zawahała się, a potem na jej twarzy pojawił się pełen niedowierzania uśmiech.

– Beck, widywałam już chłopaków w gatkach.

– Tak, ale... je też muszę zdjąć.

Uśmiech zniknął z jej twarzy.

– Słuchaj, Beck, jeśli chcesz iść sam, to...

– Po prostu... odwróć się na chwilę. Proszę.

Brihony westchnęła i spełniła jego życzenie.

– Już – usłyszała po krótkiej chwili. – Gotowe.

Kiedy się odwróciła, ujrzała Becka w spodniach, jak z poważną miną zakłada sobie na głowę bokserki. Aby nie spadły, zawiązał elastyczny ściągacz w pasie na supeł. Zaskoczona wybuchła gromkim, pełnym niedowierzania śmiechem.

– *Co*? To *obrzydliwe*! Beck, miałeś je na sobie ponad dobę...

– Myślisz, że o tym nie wiem? – Chłopak uśmiechnął się kwaśno. – Ale straciłem kapelusz w rzece, a przy tym słońcu mój mózg mógłby się usmażyć. Wykorzystałbym koszulkę, ale wtedy skończyłoby się to poparzeniem. Nie mam wyboru.

– Myślę, że na swój sposób wyglądasz całkiem słodko. – Brihony zlustrowała go wzrokiem. – Paski są OK. Dobrze, że nie masz żadnych bohaterów kreskówek ani nic w tym stylu...

– Dobra już, dobra – fuknął Beck, po czym ostatni raz omiótł wzrokiem obozowisko. Puste torebki nasienne puchowca nadal leżały obok. Podniósł ostrożnie dwie z nich i ułożył sobie na dłoni. Następnie włożył jedną do kieszeni, a drugą podał Brihony. – Może ci się przydać.

– Do czego?

– Em... – Nie bardzo chciał jej jeszcze powiedzieć. – Mówię tylko, że *może* ci się przydać. W odpowiedniej chwili wszystko ci powiem, dobrze?

Zmarszczyła czoło, ale wzięła torebkę.

– Niech ci będzie…

Beck kopnął w piach, aby dokładnie zasypać ognisko. Jedna niekontrolowana iskierka w suchym na kość terenie była w stanie wywołać pożar, który na otwartej przestrzeni mógłby rozprzestrzeniać się kilometrami. Nie pozostało im już nic więcej. Byli gotowi.

– OK. Ruszajmy.

ROZDZIAŁ 16

Oddalając się coraz bardziej od rzeki, weszli w skrub[10]. Na horyzoncie majaczyły pagórki i klify z czerwonego piaskowca. „Łażenie po Outbacku w środku dnia. Chyba mi odbiło" – pomyślał Beck. Miał wrażenie, że znaleźli się we wnętrzu rozgrzanego piekarnika. W innych okolicznościach nigdy by się na coś takiego nie zdecydował. Przez pustynię zazwyczaj wędruje się nocą albo gdy słońce jest nisko nad horyzontem. Gdy jest wysoko i wolno opieka promieniami wszystko, co leży poniżej, należy pozostać w ukryciu i spać. Tyle że oni nie mogli sobie

---

[10] Odmiana buszu charakterystyczna dla pustynnej części Australii, którą tworzą zarośla składające się głównie z eukaliptusów i akacji.

na to pozwolić. Wyżyna Kimberley w niczym nie przypomina Sahary, bezkresnego oceanu piachu. Teren jest wyboisty i w ciemności łatwo można byłoby się o coś potknąć. Poza tym człowiek, którego szukali, nie podszedł bliżej. Beck nie zauważył żadnych przejawów ludzkiej obecności w okolicy – poszukiwania musieli rozpocząć na tamtej skale... Na szczęście jest tu sporo roślinności. Pozornie krzewy i krzaki tworzą gęste zagajniki, dopiero z bliska okazuje się, że są od siebie oddalone i dość niskie. Drzew nie ma wiele, lecz dają wystarczająco dużo cienia, aby się pod nimi schronić i napić wody.

Beck wpatrywał się w odległą skałę, ciesząc się w duchu, że wcześniej wyznaczyli kierunek. Tak jak podejrzewał, jej wygląd zmienił się, gdy tylko zmieniła się perspektywa. Już po dziesięciu minutach marszu nie był w stanie odróżnić jej od innego czerwonego wzniesienia. Bardzo łatwo jest zboczyć z kursu. Wystarczy, że obeszliby dookoła jakąś wysoką skałę albo zagajnik i już mogliby stracić orientację. Z czasem różnica między nowym a obranym kierunkiem zwiększałaby się coraz bardziej, aż w końcu mogliby oddalić się od celu nawet o półtora kilometra... Najważniejsze to trzymać się trasy. Dlatego ilekroć się zatrzymywali, chłopak upewniał się, że zmierzają w dobrą stronę, i rysował na ziemi znak dla Ganana i Baregi, gdyby zdecydowali się za nimi pójść.

Ziemia była twarda, sucha i skalista, więc łatwo się maszerowało. Mimo że nie nastało jeszcze południe, robiło się coraz bardziej gorąco. Szli równym tempem, odzywając się tylko wtedy, gdy było to konieczne. Jeszcze nim wyruszyli, Beck doradził Brihony, aby oddychała przez nos, a nie ustami, bo w ten sposób wolniej traci się wilgoć.

Wędrowali już dobre pół godziny, gdy chłopak uniósł dłoń i stanął.

– O co chodzi? – zapytała Brihony.

Beck poczuł ukłucie zazdrości, widząc jej osłoniętą kapeluszem twarz. Bokserki, co prawda, ochraniały jego głowę przed palącym słońcem, ale twarz cały czas wystawiona była na działanie promieni i ociekała potem...

– Właśnie zobaczyłem drugie śniadanie – oznajmił z uśmiechem, patrząc na mały rozgałęziony krzak, spleciony z przynajmniej jeszcze jednym.

Szorstkie zielone liście były długie, smukłe i ostro zwężały się ku końcom; wyrastały po dwa, otaczając twarde, czerwone, woskowate kulki rozmiaru bili. Beck zerwał jedną i podał Brihony.

– To quandong? – zapytała niepewnie. – Jadłam go tylko z puszki.

– Ha! Świeży jest o niebo lepszy... Czekaj! – zawołał, ale Brihony już ugryzła owoc i aż jęknęła z bólu. – Trzeba uważać, bo ma dużą pestkę, tak jak brzoskwinia – wyjaśnił Beck. – Wszystko w porządku?

– Prawie straciłam ząb – mruknęła skrzywiona dziewczyna, po czym lekko nadgryzła kulkę i wyssała miąższ znajdujący się na głębokości zaledwie pół centymetra.

Po krótkiej przekąsce zerwali tyle quandongów, ile tylko mogli unieść w kieszeniach. Beck pamiętał z nauk Pindariego, że bogate w witaminę C soczyste owoce to ważny element pożywienia na tym terenie, cenne źródło wody. Sprawdził jeszcze raz kierunek i ruszyli w drogę.

Chłopak czuł, jak wzbiera w nim radość. I to nie bezzasadnie. Ludzie, którzy nic nie wiedzą o Outbacku, patrząc na tę krainę, widzą tylko surowe i wrogie pustkowie, zbyt gorące w porze suchej, zbyt mokre w porze deszczowej, pełne niebezpiecznych stworzeń. On, Brihony oraz ludzie im podobni widzieli jednak krainę obfitującą w roślinność i zwierzęta w sposób doskonały przystosowane do środowiska. Tu wszystko żyje w równowadze. Trzeba coś dać, aby móc wziąć. Outback jest trudny, ale zarazem piękny, i należy okazać mu szacunek, nie strach. Beck słyszał, że Aborygeni przybyli do Australii około czterdziestu pięciu tysięcy lat temu, i uważał, że gdyby nie dostrzegli tu czegoś cennego, po prostu zawróciliby i odeszli. Nikt nie zmuszał ich, aby tu pozostali, a jednak to zrobili, ponieważ dostrzegli piękno tej ziemi.

Doszli do skraju wąwozu, który wcinał się w piaskowiec tuż pod ich stopami. Na dnie leżały gładko oszlifowane kamienie, a między nimi sterczały krzaki. Głębokie na sześć czy siedem metrów koryto rzeki od dawna było wyschnięte, ale nietrudno sobie wyobrazić, co się tu dzieje w porze deszczowej. Płynąca kaskadami rwąca woda zalewa wszystko w ciągu paru minut. W taki sposób zginęło już zbyt wielu ludzi.

Beck instynktownie spojrzał na niebo, ale nie zobaczył ani śladu chmur deszczowych. Odwrócił głowę i zmrużył oczy, wpatrując się w koryto. Wiedział, że nagłe powodzie mogą pojawić się nawet wiele kilometrów od miejsca, w którym padało.

Jeśli pamięć go nie myliła, na mapie, którą sprawdzał jeszcze na łodzi, rzeka zakręcała na północ od punktu, gdzie mieli wypadek, łącząc się prawdopodobnie z tym korytem. Nie było sensu iść wzdłuż niego, w ten sposób oddaliliby się od celu. Musieli przejść w poprzek.

Zbocza były strome, ale nie pionowe, wiele wnęk i szczelin umożliwiało podparcie się dłonią czy postawienie stopy.

Beck narysował kolejny znak w miejscu, gdzie zaczynało się zejście w dół.

– Jak tam u ciebie ze wspinaniem? – zapytał Brihony.

– Bez problemu.

Piaskowiec był dziwny w dotyku – sprawiał wrażenie tłustego, lecz kruszył się przy mocniejszym nacisku. Poruszali się równolegle, aby odłamki nie trafiły osoby będącej niżej. Ale świadomość, że człowiek wisi nad przepaścią, uczepiony skały, która sypie się pod palcami, nie należy do najprzyjemniejszych.

Beck dotarł na dół pierwszy. Brihony znajdowała się dopiero w połowie drogi. Obserwował, jak trzymając się mocno na szeroko rozstawionych nogach i rękach, powoli przestawiła stopę z jednej do drugiej szczeliny, a potem równie powoli przesunęła dłoń.

– Jak ci idzie? – zawołał.

– A jak myślisz? – Jej głos zadrżał lekko.

– Przesuwaj tylko jedną nogę lub rękę. Masz cztery punkty podparcia: dwie ręce i dwie stopy.

Trzy powinny mieć pewne zaczepienie, gdy zmieniasz położenie czwartego…

– Wiem o tym, dzięki! – warknęła. – Może masz jakieś pożyteczne wskazówki dla tych, co mają *lęk wysokości*?

– Nie patrzeć w dół. Zawsze działa – odparł chłopak przekornie.

– Ta. Dzięki raz jeszcze, Beck… – Brihony ostrożnie przełożyła dłoń nieco niżej. – Nie przeszkadza mi, gdy jestem wysoko i patrzę w dół. Klify, wysokie budynki, samoloty są w porządku. Ale nienawidzę poczucia, że nie mam nic pod stopami…

– Masz dużo pod stopami. – Beck sprawdził szczeliny i półki skalne znajdujące się pod dziewczyną, rysując w wyobraźni trasę w dół, tak jakby rysował drabinę na zboczu klifu. – Przesuń lewą stopę pięć centymetrów w lewo… Dobrze, właśnie tak…

Słuchając wskazówek, Brihony zaczęła schodzić nieco szybciej, przyśpieszając, w miarę jak nabierała coraz większej pewności siebie. Po chwili była już na dole.

– Bez problemu! – Uśmiechnęła się szeroko, próbując rozluźnić napięte mięśnie. – Ale odpocznijmy trochę, nie czuję ramion.

– Gdy się wspinasz, staraj się nie kłaść rąk wyżej niż na taką wysokość – powiedział, demonstrując gest. – Jest to mniej więcej poziom, na którym masz serce. Jeśli wyciągniesz ręce wyżej, odpływa z nich krew i serce musi szybciej pracować, bolą cię mięśnie i szybko się męczysz.

– Jasne.

Ruszyli w stronę cienia rzucanego przez północne zbocze. Brihony wykonała kilka okrążeń rękami i zadeklarowała:

– OK. Jestem gotowa do drugiego etapu.

Zjedli po jednym quandongu, popili wodą i skierowali się w stronę ściany, po której mieli wejść. Beck stopą narysował kolejny znak.

Brihony wyciągnęła ręce, po czym równie szybko je opuściła.

– O rany.

Beck spojrzał na nią z ukosa.

– Naprawdę masz lęk wysokości...

Kiwnęła głową.

– Naprawdę. Chodzi o to, że nie mam gruntu pod nogami i nie widzę, dokąd idę. Przynajmniej dokładnie.

– To może znów cię poprowadzę? – zaproponował Beck. – Zostanę na dole i będę cię instruować, gdzie masz położyć stopy i dłonie.

Brihony popatrzyła na niego z wdzięcznością.

– Naprawdę mógłbyś? Dzięki.

– No to, do dzieła. Chwyć się tu i tam...

Gdy dziewczyna zaczęła się wspinać, zrobił krok w tył, aby lepiej widzieć. Tak jak poprzednio, w myślach wyobraził sobie nad nią drabinę, widząc dokładnie, gdzie ma położyć ręce i stopy. Żaden z uchwytów nie był dalej niż na odległość metra, tak że nie musiała zbyt daleko sięgać.

Ściana po tej stronie wąwozu była wyższa o jakieś dziesięć metrów, może więcej.

– A teraz – zawołał, gdy Brihony była już w połowie drogi – zaraz nad głową, nieco na lewo, masz półkę! Możesz tam odpocząć, jeśli chcesz!

– OK! – Odpowiedź dziewczyny stłumiła skała znajdująca się zaledwie parę centymetrów od jej twarzy.

Wyciągnęła rękę, podciągnęła się trochę i zamarła. Trwała tak, nic nie mówiąc.

Beck spojrzał w górę, zdziwiony.

– Co się stało?

– Beck – wykrztusiła drżącym głosem – mamy towarzystwo. Tu na górze. – Jej ton zdradzał, że nie było to wcale mile widziane towarzystwo.

– Co tam jest?

– Mulga. Zaraz przede mną. Patrzy prosto na mnie.

Serce Becka zaczęło bić szybciej. Zaledwie parę centymetrów od wyciągniętej dłoni Brihony znajdował się jeden z najbardziej jadowitych węży na świecie.

ROZDZIAŁ 17

Nie ruszaj się! Już idę! – zawołał Beck i pośpiesznie zaczął wspinać się po ścianie, uważając na kruszące się i odpadające co chwilę kawałeczki.

W głowie przeanalizował wszystkie możliwości. Jak dotąd wąż nie zaatakował jeszcze Brihony i nie było powodu, dlaczego miałby to zrobić, jeżeli nie czuł się zagrożony. Dziewczyna nie mogła jednak poruszyć nawet ręką, gdyż każdy najmniejszy ruch mógł zostać odebrany jako próba ataku. Nie mogła zejść, mając jadowitego węża dosłownie nad głową, nie mogła też kontynuować wspinaczki. Nawet jeśli chciałaby jedynie przejść obok, mulga z łatwością mogłaby ukąsić. Neurotoksyny wstrzyknięte prosto do krwi zaczęłyby działać niemal natychmiast, atakując układy nerwowy, oddechowy i krążenia. Brihony zaczęłaby się dusić, jej tętno wzrosłoby kilkukrotnie, nie byłaby w stanie się ruszyć na skutek paraliżu i umarłaby w ciągu paru sekund w strasznych bólach.

Po minucie Beck dotarł do występu. Blada Brihony wpatrywała się w węża, na wpół schowanego w ciemnej szczelinie. Wyglądało to tak, jakby ktoś zostawił na występie skalnym ciężki brązowy skórzany zwój. Gad musiał mierzyć ze dwa metry, a jego ciało było grubości ramienia mężczyzny. Pewnie spał, gdy usłyszał, że ktoś nadchodzi. Być może skojarzył sobie wibracje z ruchem czegoś jego rozmiarów, na przykład z jaszczurką czy małym ssakiem. Może pomyślał nawet, że to dingo mający nietypowe umiejętności wspinaczki. I wyszedł sprawdzić.

Szeroka główka była uniesiona, oczka jak małe czarne kamyczki wpatrywały się w twarz Brihony. Wąż wysunął język, smakując powietrze. Poruszył się lekko, a otoczone ciemną obwódką błyszczące łuski zsunęły się jedna na drugą, gdy sploty się mocniej zacisnęły. Beck wiele razy miał okazję trzymać węże w ręku i wiedział, jakie to uczucie. Nie były one wcale pokryte śluzem, ich skóra sprawiała wrażenie suchej, jakby wypolerowanej i pokrytej gładką warstwą wosku.

Wąż nie zauważył jeszcze Becka, który przesunął się wzdłuż występu. Chłopak przełknął ślinę. To, co miał zaraz zrobić, było ryzykowne i mogło skończyć się śmiercią przynajmniej jednego z nich. Ale musiał zabić węża, zanim ten zaatakuje Brihony albo zanim dziewczyna straci resztkę sił i spadnie z ośmiu metrów. Oba scenariusze miały śmiertelne zakończenie.

Gdyby mógł to zrobić na płaskim terenie, zabrałby się do tego inaczej. Znalazłby długi, zagięty patyk i z bezpiecznej odległości przytrzymał łeb węża, aby Brihony mogła bez szwanku uciec.

Niestety, wisząc w połowie drogi na szczyt, nie był w stanie tak tego rozwiązać. Wyciągnął więc maczetę i biorąc głęboki oddech, zacisnął palce na rękojeści.

– Beck – szepnęła Brihony – uważaj, ale pośpiesz się. Nie utrzymam się tak dłużej.

Nie odpowiedział, koncentrując się na przeciwniku. Zdecydowanym ruchem zbliżył maczetę w stronę mulgi, która w okamgnieniu rzuciła się na stalowe ostrze. Obnażone zęby jadowe uderzyły o metal.

Mały móżdżek węża nie zdążył zarejestrować faktu, że maczeta nie była częścią ciała Becka. Zanim zwierzę się zorientowało, Beck zadał mu cios w miejscu zaraz za głową. Choć u niektórych węży odcinek szyjny łączący głowę z tułowiem jest dość cienki, szyja u mulgi jest tak samo gruba i umięśniona jak reszta ciała. Beck musiał włożyć w uderzenie wszystkie siły, tym bardziej że trzymał maczetę tylko jedną ręką. Ostrze brzęknęło przy uderzeniu o skałę, odcięta głowa upadła obok dygoczącego zwoju. Paszcza otwierała się i zamykała, jakby chciała wyrzucić z siebie ostatnią klątwę.

Końcem ostrza Beck odsunął łeb – wolał nie ryzykować, bo wąż nawet martwy był jadowity.

Brihony upadła na półkę skalną z uczuciem ulgi. Beck popatrzył na nią, szczerząc zęby w uśmiechu.

– Dasz radę dalej iść?

Skinęła głową bez słowa i ruszyła w górę, szybko mijając drgające jeszcze truchło. Tymczasem Beck podniósł je i okręcił sobie dookoła szyi niczym makabryczny szal. Koniec ogona wyślizнął się bezwładnie ze szczeliny, z której wcześniej wyłonił się gad. Beck zdecydował się nie ulegać pokusie zerknięcia w jej głąb, mógł tam znaleźć drugiego węża albo jaja. Te ostatnie w innych okolicznościach byłyby dobrym pożywieniem, ale zgodnie z wierzeniami Aborygenów to ludzie należą do Outbacku, nie odwrotnie. Beck nie widział potrzeby zabijania niewyklutych młodych, które nie stanowiły dla nich żadnego zagrożenia.

Na szczycie Brihony usiadła na ziemi, podciągnęła kolana pod brodę i objęła je rękami. Jej twarz powoli zaczęła nabierać kolorów.

– Ciarki mnie przechodzą, gdy na niego patrzę – powiedziała, krzywiąc się lekko.

– Da nam dużo energii. – Beck z uśmiechem podniósł koniec cielska i znów go opuścił. – Chude białko. Mało tłuszczu i łatwostrawne mięso. Oto nasza kolacja!

Brihony skrzywiła się.

– Chyba nie będziesz z tym chodzić przez cały dzień!

– Nie muszę – odpowiedział z wyczuwalną w głosie ulgą. Odwrócił się w stronę miejsca, które miało być ich celem, i ponownie odczytał położenie względem słońca. Z całą pewnością był to planowany północno-wschodni kierunek. – Już prawie doszliśmy. Zrobimy przerwę i tam w cieniu upieczemy mięso.

– Myślałam, że nie powinno się jeść, gdy nie przyjmuje się za wiele płynów, gdyż trawienie pochłania wilgoć.

– Masz rację – odparł Beck, spoglądając na dziewczynę z podziwem – ale nie zjemy teraz dużo. Upieczemy mięso i zabierzemy je ze sobą, aby zjeść wieczorem. Lepiej nie wędrować w samo południe. Poczekamy, aż znów się trochę ochłodzi. Oczywiście, jeśli się okaże, że Pindari nie siedzi tam i na nas nie czeka. – Beck podał jej dłoń. – Idziesz?

Pomógł Brihony wstać, po czym ruszyli w drogę, aby pokonać ostatnią część trasy.

* * *

Skała była lekko zaokrąglona, a gołe kamienie gwarantowały dobrą przyczepność, z łatwością dotarli więc na pusty szczyt. Ktokolwiek stał tam jednak z czuryngą, dawno odszedł.

Beck zrzucił z ramion węża i ułożył go w cieniu krzaków, po czym oparł ręce na biodrach i zaczął uważnie wypatrywać jakichkolwiek ludzkich śladów. Niestety, jedyne co widział, to ciągnący się kilometrami we wszystkie strony Outback. Powietrze drżało w gorących promieniach słońca i trudno było dostrzec cokolwiek mniejszego niż drzewo.

Jeśli rzeczywiście ktoś tam jest, trzeba będzie go wytropić tradycyjną metodą.

– Co teraz? – zapytała Brihony.

– Najpierw woda. – Beck sięgnął po butelkę i obydwoje wzięli po łyku. – A potem zaczniemy szukać. To jest na pewno to miejsce. Musimy tylko znaleźć ślady.

– Czyli mamy po prostu wypatrywać czegoś na ziemi?

– Nie chodzi tylko o odciski stóp. Mógł też zostawić znaki pośród roślinności, na przykład liście wygięte w stronę, w którą szedł... Tego typu rzeczy. Oczywiście, dobrze zacząć najpierw od tropów. Patrz pod nogi. – Rozejrzał się dookoła, aby sprawdzić położenie. – Dobra. Stań obok tamtego krzaka, na skraju skały. A ja – podniósł głos, aby go słyszała, podążając równocześnie w stronę krzaków po drugiej stronie – stanę tam. Teraz przejdź wolno w kierunku tamtego drzewa. Widzisz je?

– Aha.

Drzewo, na które wskazywał Beck, znajdowało się jakieś trzydzieści metrów dalej, zaraz na wprost Brihony.

– Przejdź w tamtą stronę, sprawdzając, czy na ziemi nie ma jakichś innych odcisków stóp niż nasze. Jak już tam dotrzesz, zawróć, zrób krok w prawo i wróć na skraj skały. Ja pójdę w stronę tamtego krzaka, później zrobię krok w lewo i…

– Kawałek po kawałku przeszukamy każdy metr kwadratowy terenu. – Brihony kiwnęła głową. – Załapałam.

– No to do dzieła!

* * *

Beck spędził z Pinadrim kilka tygodni. Pierwsze dni to była po prostu porażka za porażką, ponieważ nie potrafił się skoncentrować. W końcu jednak poczuł, o co chodzi.

Trzeba było pozbyć się zbędnych myśli. Wszelkie kwestie dotyczące tego, co później zjeść, czy iść do toalety, co zrobić po powrocie do domu, a nawet chęć gwizdania niewinnej melodyjki musiały zostać zepchnięte daleko w niepamięć. Tropienie wymagało skupienia i ogromnej wytrzymałości. Człowiek obserwujący przez pięć minut wyłącznie suchą ziemię, nagle czuje pokusę pójścia na skróty i przeskoczenia o parę kroków. Mózg się męczy, oczy szybko zaczynają piec, więc kolejny skrawek przegląda się już szybciej, zakładając, że będzie taki sam jak poprzedni. Aż tu nagle okazuje się, że właśnie tam leży wskazówka. Na każdy centymetr kwadratowy terenu trzeba poświęcić taką samą ilość uwagi i musi ona być stuprocentowa.

Na szczęście dziesięć minut później Brihony znalazła pierwszy ślad.

– Ta-da!

Było to płytkie wgniecenie w skale, wypełnione czerwoną ziemią, w którego środku znajdował się pojedynczy odcisk stopy. Ktokolwiek go zostawił, szedł boso, wyraźnie widać było szeroką podeszwę i pięć masywnych palców kogoś, kto spędził dziesiątki lat, wędrując po Outbacku bez butów.

– Ale… – zastanowił się głośno Beck – gdzie reszta? Chyba nie skakał?

Brihony zmarszczyła brwi i rozejrzała się dookoła. Ziemia wokół nie nosiła żadnych znamion ruchu, przynajmniej w promieniu metra.

– To bez sensu! – krzyknęła. – Naprawdę musiał się postarać, aby zostawić tylko jeden odcisk. W co on z nami gra?

Beck zmrużył oczy i zamyślił się. Nadal nie mieli pewności, czy idą za Pindarim. Jeśli jednak to był on, Beck domyślał się, o co mu chodzi.

– Myślę, że to jest test – odparł. – On nam mówi: „Jeśli chcecie mnie odnaleźć, zacznijcie od tego miejsca”.

ROZDZIAŁ 18

Na myśl, że Pindari może być blisko, serce zaczęło mu bić szybciej. Beck wiedział, że Brihony czuje to samo. Obydwoje chcieli ruszać *już* w tej sekundzie, aby go odnaleźć. W południe nastał jednak niemiłosierny upał, a Beck miał świadomość, że ich sytuacja pod względem zapasów wody nie przedstawia się zbyt różowo. Podniósł butelkę do światła, aby sprawdzić jej zawartość. Była do połowy pełna, więc przez najbliższy czas mieli jeszcze wystarczająco dużo. Nie zamierzali jednak wracać nad rzekę, co powodowało, że od tego momentu wodę należało oszczędzać. To z kolei oznaczało, że jeśli nie chcieli skończyć jako posiłek dingo, musieli przeczekać najgorętszą część dnia.

Rozbili tymczasowy obóz pod drzewem eukaliptusowym, nieopodal znalezionego odcisku stopy. Chociaż liście zwisające pionowo i przepuszczające promienie słoneczne nie dawały za wiele cienia, było go wystarczająco dużo, aby osłonić ich przed najgorszym żarem. Brihony ułożyła ognisko i rozpaliła je za pomocą krzesiwa. Beck zabrał się do oprawiania węża. Najpierw wykonał maczetą płytkie nacięcie na ogonie, a potem rozpłatał brzuch aż do miejsca, gdzie wcześniej była głowa. Przytrzymał truchło za szyję, wkładając do środka palce, i wolno – jakby obierał banana – zaczął zdzierać skórę. Na koniec odkroił ją w miejscu pierwszego nacięcia i odłożył na bok. Teraz musiał usunąć wnętrzności. Wykonał kolejne nacięcie wzdłuż brzucha, tym razem dosięgając mięsa. Trzewia – lśniąca, szarawo-niebieska masa o długości mniej więcej całego węża – ułożone były w ciasno zwinięty wałek, więc wystarczyło włożyć palce pod spód i je wydobyć.

– To najobrzydliwsza rzecz, jaką kiedykolwiek widziałam – stwierdziła Brihony.

– Obrzydliwsza niż chłopak z bokserkami na głowie?

– E tam, to jest tylko dziwne. – Brihony spojrzała na odartego ze skóry węża. – Ależ to będzie smaczne!

– Będzie. W porze posiłku – przypomniał jej. – Czyli jeszcze nie teraz.

– No tak. Odwodnienie.

Brihony nawinęła wypatroszoną tuszę na patyk i zawiesiła ją nad ogniem, podczas gdy Beck wyniósł skórę i wnętrzności na bezpieczną odległość od obozowiska. Skoro i tak przyciągną mrówki, lepiej, żeby stało się to z dala od ludzi, których mogłyby pogryźć.

Skończywszy pracę, usiedli oparci o drzewo, ciesząc się cieniem.

– Nie powinniśmy potraktować tego nieco poważniej? – zapytała Brihony. – Facet może być już daleko stąd.

– Z pewnością *jest* daleko stąd – poprawił ją Beck.

– OK. To może być jeszcze dalej, niż myślimy.

– Idziemy jego tropem, a najlepiej widać go w świetle padającym pod małym kątem, kiedy słońce rzuca cień, wtedy staje się wyraźniejszy. W południe, gdy słońce jest dokładnie nad nami, światło pada pod kątem prostym, nie rzucając żadnego cienia. Nie widać, więc też odcisków stóp.

– Czyli najlepszą porą na tropienie jest wczesny poranek lub późne popołudnie?

– Właśnie. Nie będziemy jednak zwlekać do późnego popołudnia, bo zanim gdziekolwiek dotrzemy, zrobi się ciemno. Poczekamy jeszcze trochę.

* * *

Godzinę później byli gotowi do drogi. Beck wydzielił dla siebie i Brihony po kawałku mięsa, które poza dymem z ogniska nie miało prawie żadnego smaku. Było łykowate, lekkie, dość żylaste i niemal nie zawierało tłuszczu. Resztę pocięli na mniejsze cząstki. Te, których nie zdołali zapakować do kieszeni, z żalem zostawili.

Udali się w miejsce, gdzie wcześniej znaleźli odcisk stopy. Według Becka był to znak mówiący: „Rozpocznijcie stąd". Beck założył, że najlepiej zacząć szukać w kierunku wskazywanym przez ślad. W zasięgu pierwszych paru metrów nie znaleźli nic, ale już nieco dalej natknęli się na drugi trop. Ziemia była tu zbyt twarda, aby odciski mogły być regularne, wkrótce jednak ich oczom ukazał się kolejny, a potem jeszcze jeden.

Wtem trop się urwał. Po przejściu następnych dziesięciu metrów Beck był już prawie pewny, że zgubili szlak.

Zawrócił do Brihony, która z jego miny wyczytała, że nie był z siebie zadowolony.

– Czy mogę w czymś pomóc? – zapytała.

– Stań tam. – Beck wskazał na ostatni ślad, który znalazł. – Idź za mną i zatrzymuj się przy każdym odcisku, który znajdę. W ten sposób, jeśli stracę trop, będę mógł wrócić w ostatnie miejsce, gdzie trop się urwał.

– Kapuję.

Z ostatniego punktu, w którym Beck zlokalizował odcisk, można było pójść w trzech kierunkach. Tuż przed nimi rosła para krzaków i Beck podejrzewał, że mężczyzna przeszedł między nimi. Mógł też jednak skręcić w lewo lub w prawo. Beck sprawdził najpierw trasę po lewej stronie i prawie natychmiast okazało się, że był to dobry wybór, gdyż znalazł tam dwa ślady, jeden po drugim.

Coś jednak mu nie pasowało, tylko nie wiedział co. Teraz musiał skupić się na tym, co miał, czyli na dwóch śladach, które wskazywały na chód i rodzaj kroków.

Beck rozejrzał się szybko za najdłuższym i najbardziej prostym kawałkiem drewna, jaki znajdował się w pobliżu. Maczetą odciął z krzaka gałąź, pozbawiając ją liści i mniejszych gałązek i otrzymując tym sposobem patyk długości około metra. Ułożył jeden jego koniec przy pierwszym odcisku pięty i położył cały patyk na ziemi. W miejscu, gdzie patyk dosięgnął pięty drugiego odcisku, zrobił małe nacięcie. Następnie ułożył koniec patyka pośrodku pięty i na ziemi przed sobą wytyczył za jego pomocą półkole. Nacięcie pokazało odległość, w jakiej powinien pojawić się kolejny trop i rzeczywiście tam też Beck znalazł nowy odcisk.

– Sprytnie – powiedziała z uznaniem Brihony, obserwując Becka, który w ten sposób zaczął krok po kroku sprawdzać cały teren.

Niekiedy nie było żadnych tropów, ale posługując się takim systemem pomiarów, Beck wiedział, gdzie powinny one być. Stopniowo zaczął dostrzegać coraz wyraźniej też inne znaki... Niektóre kamyczki były przesunięte albo przewrócone, co można było poznać po tym, że jedna ich część była ciemniejsza od wilgoci. Wcześniej musiały zatem leżeć tą stroną do ziemi. Podobnie było z krzakami. Liście na ogół rosną w określony sposób, ale niektóre z nich były nienaturalnie odkształcone. Poza tym, co kilka metrów pokazywał się kolejny odcisk potwierdzając, że są na dobrej drodze.

– Tak trzymać, a dogonimy go przed zachodem słońca – stwierdziła Brihony.

– No może... – powiedział Beck bez większego przekonania, bo cały czas coś nie dawało mu spokoju. Nie mógł konkretnie określić, co to było, ale starał się, jak tylko mógł.

W końcu trop zniknął. Doprowadził ich do baobabu i tam się urwał. Palce odciśniętej stopy prawie dotykały pnia drzewa, jak gdyby mężczyzna stanął nagle, opierając się o nie twarzą. Albo przeszedł prosto przez nie.

Stali tak, wpatrując się w ziemię. Brihony zadarła głowę, spoglądając na nagie gałęzie. Nie było mowy, aby mężczyzna mógł się tam ukryć.

Beck kucnął i przyjrzał się śladowi. Co było z nim nie tak? Wyglądał normalnie. Na pewno nie był fałszywy. Pięta była odciśnięta głębiej w ziemi, a palce...

Beck jęknął i chwycił się za głowę, po czym wolno przechylił się i przewrócił w bok.

– Aaaaaa!

– Beck? – Brihony uklękła obok, zaniepokojona. – Co się stało? Co ci jest?

– Całkowicie wyszedłem z wprawy! To się stało! Aaaa! – Beck podniósł się wolno, marszcząc ze złości brwi. – Wpuścił mnie w maliny! I zrobił to z łatwością!

– Co masz na myśli?

– Patrz. Spójrz na moje stopy. – Beck wolno zrobił parę spokojnych kroków. – Jeden, dwa, jeden, dwa... najpierw pięta, potem palce, tak? Zanim nie postawię całej stopy, cała moja masa spoczywa na pięcie. Pięta zawsze jest więc głębiej niż palce.

– OK...

Beck kucnął ponownie i wskazał na ślady.

– Ale nie tutaj. Tu palce są głębiej odciśnięte niż pięta. Pindari szedł *tyłem*! Stąd zaczął i zakończył w miejscu, gdzie znaleźliśmy pierwszy ślad. Kolejny test. Powinienem był wiedzieć, że to za proste.

Brihony jęknęła.

– Żartujesz! To jest *nieludzkie*! No więc co teraz robimy?

Beck wyprostował się i westchnął.

– Cofamy się i zaczynamy od początku. Jest jednak jedna pozytywna rzecz.

– Jaka?

– Rozpoznaję to poczucie humoru. Nikt przypadkowy nie próbowałby wykiwać nas w taki sposób. To na pewno Pindari!

ROZDZIAŁ 19

Tym razem Beck był już czujniejszy. Zaczął od pojedynczego śladu i określił wielkość kroku mężczyzny, co wyznaczyło mu promień okręgu, w obrębie którego musiał znaleźć się odcisk drugiej stopy Pinadriego.

Wyobrażając sobie jego stopę na godzinie dwunastej, Beck znalazł kolejny ślad na godzinie ósmej – kawałeczki ziemi na gołej skale leżały zbite razem, zbyt ciężkie, aby mógł je zwiać wiatr. Leżały tak, gdyż były mokre, zanim się tam znalazły. Zostały naniesione z innego miejsca, podróżując na podeszwie ludzkiej stopy.

Beck użył patyka, aby wyznaczyć odległość, w której powinien znaleźć się kolejny trop. Zamiast odcisku znalazł kępkę trawy, którą ktoś zaczesał w przeciwnym kierunku. Nie miało już znaczenia, czy Pindari szedł przodem, czy tyłem. Źdźbła wskazywały, w którą stronę zmierzał.

Kawałek po kawałku Beck i Brihony podążali wyznaczonym szlakiem. Z początku posuwali się wolno, ale wkrótce Beck wpadł w rytm. Nie szedł już, wpatrując się w ziemię przed sobą, ale patrząc jakieś pięć, dziesięć metrów dalej. Można było w ten sposób zobaczyć zbliżające się ślady, co dawało lepszy pogląd na cały teren. Co jakiś czas spoglądał też daleko przed siebie na wypadek, gdyby mężczyzna gdzieś się nagle pojawił. Nie chciał koncentrować się tylko na ziemi przed swoim nosem, aby nie wpaść prosto na czekającego cierpliwie Pinadriego.

Gleba była sucha, a powietrze drgało od słońca. Dookoła ciągnęły się tylko skały i krzaki, a w oddali klify z piaskowca. Jeśli ktoś rzeczywiście tam był, byłoby widać przynajmniej jakiś czarny punkt poruszający się na tle migoczącego powietrza. Zamiast tego jak okiem sięgnąć rozciągała się czarna linia horyzontu. Beck przyjrzał się jej bardziej, mrużąc oczy, po czym odwrócił wzrok. Z początku wyglądało to na rysujące się w oddali chmury deszczowe, ale przecież panowała teraz pora sucha. Prawdopodobnie był to tylko ciemniejszy kolor ziemi, zniekształcony obraz. Beck skoncentrował się ponownie na przeszukiwaniu terenu. Musiał myśleć o swoim zadaniu, o wytropieniu Pindariego.

Studiując uważnie ślady, zauważył, że znów zaczynają być widoczniejsze. Czasami była to odwrócona skała z zauważalnie ciemniejszą, wilgotną stroną, która zaczynała powoli już wysychać, tracąc wcześniejszy, mocniejszy kolor. Obok niej znajdujące się nadal wgłębienie potwierdzało, gdzie wcześniej leżała. Niekiedy zaś były to zgięte lub złamane źdźbła trawy albo potrącone gałązki, układające się w kierunku, w którym ktoś podążał.

Co jakiś czas szlak był bardzo wyraźny, choć zdarzało się też, że Beck musiał wymierzać kolejne kroki. Odciski stóp raz się pojawiały, raz znikały. Nie musiał to być celowy zabieg, ale przypadek wynikający z twardości ziemi. Pindari szedł niemal stałym tempem. Tam, gdzie odciski palców były głębsze, a odciski pięt ledwo widoczne, musiał poruszać się biegiem. Maszerował jednak równym krokiem, nie za szybko, nie za wolno, tak aby dotrzeć na miejsce bez zbytniego zmęczenia. Był to najlepszy sposób przemieszczania się w tego typu terenie. Tradycyjny sposób Aborygenów.

Nie żeby Pindari ułatwiał im zadanie. Pojawiały się momenty, kiedy trop zdawał się urywać, często kluczył, nawet co parę kroków. Beck nadal pozostawiał informacje dla Baregi i Ganana na wypadek, gdyby szli za nimi, zastanawiając się, co sobie pomyślą, widząc takie nagłe zmiany trasy.

Pindari potrafił iść zygzakiem przez pewien odcinek pustego terenu, aby nagle wejść pośród skały, zacierając za sobą całkowicie trop i zmuszając Becka do szukania innych znaków. W pewnym momencie przeszedł przez niewielki płaskowyż liczący jakieś pięćdziesiąt metrów szerokości.

Zamiast rozpracowywać dokładną trasę mężczyzny, Brihony i Beck obeszli go wzdłuż, aby sprawdzić, gdzie znów pojawiają się ślady. Raz trop prowadził długo przez suchy, piaszczysty teren usiany skałami. Nagle jednak zniknął, tak jakby Pindari przeleciał nad ziemią lub przemierzył kawałek drogi, skacząc z jednej skały na drugą. Beck i Brihony musieli więc sprawdzić każdy kamień, czy aby nie zostawił na nim kawałeczków ziemi, rys albo jakichś innych znaków. Gdy już coś znaleźli, musieli z kolei sprawdzić każdą skałę leżącą w odległości możliwej do przeskoczenia i rozpocząć tam szlak od nowa.

Niekiedy Pindari robił to, co zrobiłby każdy zdrowo myślący człowiek w sercu Kimberley. Szukał cienia. Jeśli znalazł rosnące blisko i rzucające dużo cienia drzewa, zatrzymywał się przy nich na dłużej. Outback miał swój rytm i łatwo było się do niego przyzwyczaić. Czas zdawał się płynąć tu inaczej, bez zakłóceń, bez samochodów, bez muzyki, bez telewizji. Spoglądając w pewnej chwili na zegarek, Beck odkrył, że minęło kilka godzin.

Zatrzymywali się na odpoczynek, brali po łyku wody, po czym ruszali dalej. Jeśli mijali akurat jakąś roślinę, której owoce Beck zidentyfikował jako jadalne, przystawali na mały posiłek, co pozwalało im zaspokoić głód, ale nie obciążało żołądka i nie zmniejszało ilości wody.

Woda.

Beck zdawał sobie sprawę, że butelka z każdym łykiem robi się lżejsza. Na łodzi powiedział Baredze i Gananowi, że człowiek, podróżując w upale, potrzebuje półtora litra płynu na godzinę, tymczasem oni dawno nie trzymali się koniecznego minimum. Opuścili skałę, niosąc ze sobą zaledwie trzy litry. Jeżeli co godzinę piliby po półtora litra, mieliby zapas na maksymalnie dwie godziny, a szli już znacznie dłużej. Zdecydowanie potrzebowali więcej wody. Mogli ją zdobyć tylko w jeden sposób.

– Em, Brihony… – Beck przełknął ślinę, czując rumieniec na twarzy.

Brihony zatrzymała się i spojrzała na niego podejrzliwie.

– Co?

– Masz jeszcze tę torebkę nasienną, którą ci dałem?

– Jasne... – Wyciągnęła ją z kieszeni, marszcząc brwi. – A czemu pytasz?

– Ponieważ...

„O matko" – pomyślał Beck. Robił to wcześniej przy Pindarim i choć wydawało się to nieco dziwne, nie czuł wstydu. Ale Pindari był mężczyzną. Z Brihony sytuacja stawała się nieco niezręczna.

– Słuchaj, gdybym był sam, użyłbym po prostu butelki po wodzie, ale ponieważ musimy się nią dzielić... Sam też to zrobię, bo też wziąłem ze sobą torebkę, ale...

Brihony popatrzyła na niego z niedowierzaniem, podeszła bliżej i spojrzała mu prosto w oczy, wskazując na torebkę.

– Beck, czy chcesz mi powiedzieć, że mam *nasikać* do tego i to *wypić*?

Chłopak kiwnął głową z zakłopotaniem.

– *Po co*?

– Bo kończy nam się woda i nie możemy stracić nawet kropelki. Dopiero co wydalony mocz jest prawie sterylny i można go pić, pod warunkiem że jest czysty. Pomoże nam to uzupełnić płyny.

– Być może dla ciebie to nie jest problem. – Brihony odwróciła wzrok, w którym malowała się odraza. – Ten pendrive, który ma Pindari... *lepiej* żeby był tego wart.

Brihony udała się w jedną stronę, Beck poszedł w drugą. Po paru chwilach wrócili.

Na twarzy Brihony malował się grymas obrzydzenia.

– Nie wierzę, że to zrobiłam. – Spojrzała na Becka z ukosa. – Też to zrobiłeś?

Kiwnął głową. Wrażenie było... trudne do określenia. Z pewnością nikt nie reklamowałby napoju o takim smaku. Najważniejsze jednak, że dzięki temu zatrzymali w organizmie cenny płyn. Tylko to się liczyło.

– Raczej nie będziemy marnować wody na mycie rąk – mruknęła Brihony. Żadne z nich nie mogło się powstrzymać od uśmiechu.

* * *

Po jakiejś godzinie dotarli do kolejnego wyschniętego koryta rzecznego. Stanęli na skraju schodzącego lekko w dół zbocza. Beck rozejrzał się na boki, a na jego twarzy odmalował się wyraz zadowolenia. Przynajmniej jeden problem właśnie się rozwiązał.

Pindari zszedł, co widać było po kamyczkach, które stoczyły się za nim. Wydawało się, że deszcz nie padał tu od miliona lat, szczególnie patrząc na krzaki i drzewa, które zdążyły już się zadomowić na dnie. Sprawdzenie, którędy poszedł mężczyzna, nie zajęło im wiele czasu. Na samym dole, przy brzegu, widać było głębsze odciski stóp i ziemię na skałach. Zamiast przejść na drugą stronę, mężczyzna szedł cały czas prosto w dół koryta.

Sto metrów dalej dotarli do miejsca, gdzie rzeka zakręcała w lewo. Beck rzucił Brihony wesołe spojrzenie.

– Masz ochotę na coś porządnego do picia?

Dziewczyna uśmiechnęła się, ale na jej twarzy widać było zmęczenie. Całe popołudnie marszu i upał zaczęły dawać im się we znaki, aczkolwiek Beck wiedział, że Brihony nigdy się do tego nie przyzna.

– Poproszę coś gazowanego z lodem.

– Zobaczę, co da się zrobić…

Beck zaczął kopać, zeskrobując górną warstwę ziemi. Wykorzystał do tego maczetę, nie wyjmując jej jednak z osłony, aby nie stępić ostrza. Pierwsza warstwa ziemi była twarda i spieczona słońcem, ale pod nią gleba robiła się już miększa i wilgotniejsza. Znalazłszy patyk, Brihony przyłączyła się do kopania i wspólnie powiększyli dół. Pod palcami ziemia dawała miłe uczucie chłodu i wilgoci.

Po chwili nie była to już nawet wilgoć. Beck wyczuł, że ziemia robi się coraz bardziej mokra. W końcu woda zaczęła powoli napływać do wykopanej przez nich dziury, napełniając ją najpierw do głębokości centymetra i stopniowo wzbierając coraz bardziej.

– Stoimy po zewnętrznej stronie zakola – powiedział Beck. – Gdy płynie tędy woda, w tym miejscu nurt jest najwolniejszy, woda ma czas wsiąknąć w ziemię.

Brihony wbiła w niego wzrok.

– Chcesz powiedzieć, że jest tu wystarczająco wody do picia? Że niepotrzebnie piliśmy nasze siki?

– Wcale nie niepotrzebnie – odparł, unosząc dłonie w przepraszającym geście. – Gdy w grę wchodzi przetrwanie i jeśli jest to możliwe, zawsze dobrze jest wykorzystać swój mocz. Być może jednak nie będziemy już musieli tego robić!

Tymczasem dół zdążył już nabrać wystarczająco dużo wody, aby można było zanurzyć butelkę i napełnić ją bulgocącym płynem. Wyciągając ją, czuł ciężar wody, który miał jednak umożliwić im dodatkowych parę godzin wędrówki, zanim znów będą musieli szukać nowego źródła.

– Normalnie powinno się przegotować taką wodę – zauważył Beck – ale tu ziemia jest dość piaszczysta, co zapewnia naturalny filtr usuwający większość zanieczyszczeń. Myślę, że możemy zaryzykować.

Brihony uśmiechnęła się.

– Super!

Pili, nabierając wodę rękami. Po jakimś czasie dół znów się napełnił i Beck ponownie zanurzył butelkę. Czując nowy przypływ sił i energii, wrócili na trop Pindariego.

* * *

W okolicy nie było za wiele krzaków, przez które Pindari musiałby przejść, co oznaczało mniejszą liczbę znaków. W korycie rzeki znajdowały się głównie gładkie okrągłe kamienie i placki suchej ziemi. Pindari szedł raczej po kamieniach, na których prawie nie zostawiał śladów. Beck i Brihony zdecydowali się zatem nie koncentrować na nich, ale sprawdzić brzegi. Jeśli Pindari wyszedł z koryta, musiał przejść którymś brzegiem. Po jakimś czasie Beck znalazł ślady po swojej stronie. Podążyli za nimi.

Beck nie był wcale zaskoczony, że mężczyzna wybrał odległy brzeg rzeki. Gdyby zdecydował się na bliższy punkt, musiałby się cofać, a nawet kiedy jego trasa nie była regularna, zawsze kierował się w głąb Outbacku.

Beck zerknął na zegarek. Zrobiło się już dość późno. Nie zdążyliby wrócić do obozu przed zmierzchem, więc musieli spędzić noc tutaj. Zostało im jednak jeszcze parę godzin przed nastaniem zmroku, więc postanowił iść dalej i dopiero po godzinie zabrać się do konstruowania schronu.

Wtem rozległ się grzmot i wszystkie plany Becka zmieniły się w jednej sekundzie.

Niosący się echem po Kimberley huk brzmiał tak, jakby niebo właśnie odchrząknęło. Odgłos ten był tak znajomy, że na początku z trudem dało się go zidentyfikować. Beck stanął i z przerażeniem popatrzył na niebo przed sobą, nadal błękitne i czyste. Następnie obejrzał się za siebie.

Horyzont zasnuła ściana ciemnych chmur, a jasne kolory stały się mętne od deszczu.

– Becku Grangerze, powinieneś był to przewidzieć! – złajał sam siebie.

Przypomniał sobie tamtą ciemną linię, którą zlekceważył ze względu na trwającą akurat suszę. Nie przypuszczał, że zacznie lać.

Była to nietypowa jak na tę porę roku burza, ale takie anomalie bywają właśnie najgorsze, bo nadchodzą bez ostrzeżenia i są gwałtowne oraz śmiertelnie niebezpieczne.

– Idzie burza!

Brihony wzruszyła ramionami.

– Świetnie. Trochę nas zmoczy.

Beck potrząsnął głową.

– Utopimy się, jeśli czegoś nie zrobimy.

Gdy deszcz zaczyna padać na suchą ziemię opalaną słońcem od miesięcy to tak, jakby ktoś lał wodę na beton. Nie ma możliwości, aby cała została wchłonięta, więc po prostu po niej spływa.

Na takim terenie nagłe powodzie pojawiały się z niczego, zabijając każdego roku dziesiątki ludzi, których burza zastała na otwartej przestrzeni, bez żadnej możliwości ucieczki. Beck wcale nie przesadzał. Naprawdę mogli utonąć.

ROZDZIAŁ 20

OK – stwierdził Beck. – Potrzebujemy schronienia i to natychmiast.

Szczęście, że zdążyli już wyjść z koryta rzeki. Wkrótce nadejdzie fala zalewająca wszystko, co stanie jej na drodze. Cokolwiek wydarzy się na górze, będzie nieco mniej niebezpieczne, choć nadal groźne, jeśli nie zaczną działać.

Dwadzieścia metrów dalej Beck dostrzegł niedużą formację skalną. Nieopodal rosło drzewo eukaliptusowe, którego pień rozwidlał się jakiś metr nad ziemią. Powyżej wyrastały gałęzie, a całość pokrywała gęsta korona liści wydzielających ostry oleisty zapach. Znajdująca się obok skalna ściana tworzyła mały występ z wnęką na wysokość do pasa, gdzie oboje z Brihony mogli kucnąć i przeczekać, osłonięci przed deszczem. Nie byłaby to jednak zbyt wygodna pozycja. Zmarzliby i musieli tam zostać tak długo, jak trwałaby ulewa.

Beck wpadł na lepszy pomysł.

Przyjrzał się kępie krzaków wielkości szopy ogrodowej. Ich łodygi i liście przeplatały się z długimi pnączami bluszczu, które po naciągnięciu mogły mieć parę metrów długości.

– Dobra – powiedział do Brihony. – Zbierz tego bluszczu, ile dasz radę, ale postaraj się, aby był w jednym kawałku.

Dziewczyna kiwnęła głową i zabrała się do pracy, wyciągając z krzaków długie pnącza. Beck natomiast wyjął maczetę i wspiął się do połowy wysokości drzewa. Wyszukał najprostsze gałęzie i na tyle długie, by sięgały od drzewa do skały. Musiał uderzyć mocno kilka razy maczetą, aby odciąć każdą z nich. Czuł, jak od wysiłku robi mu się coraz goręcej, aż w końcu przerwał, by ściągnąć koszulę. Gdyby zawilgotniała od potu, wieczorem byłoby mu zimno.

Po chwili pod drzewem leżało już pięć czy sześć odpowiednich gałęzi. Wszystkie miały mniejsze pędy przybrane bujną czupryną liści. Beck zszedł na ziemię i zaczął ociosywać gałęzie, zmieniając je w nagie tyczki. Następnie pociął na kawałki zebrane przez Brihony pnącza i powiązał nimi pałąki, tworząc prostokątną płaszczyznę, którą ułożył na najniższym konarze drzewa, przywiązując mocno do pnia pozostałymi pnączami. Drugą część platformy ułożył na występie skalnym. Powstało w ten sposób niezbyt szerokie legowisko.

Wtem ujrzeli błysk. Huk pioruna odbił się echem przez pustkowia. Czuć było wibracje ziemi, a w uszach dźwięczało od hałasu. Za chwilę znów się błysnęło. Jakby wyszczerbiony sztylet właśnie przeciął horyzont między niebem a ziemią, a bijąca od niego jasność na długo pozostawiła przed oczami widmo zielonej blizny. Ktoś kiedyś powiedział Beckowi, że w północnej Australii na skutek uderzenia piorunem rocznie ginie dziesięć osób. Zdecydowanie nie chciał znaleźć się w tej grupie.

Część ich schronu była już gotowa, ale potrzebowali więcej tyczek, aby zrobić z nich zadaszenie. Beck zebrał już większość gałęzi z eukaliptusa, więc musiał poszukać czegoś w zagajniku młodszych drzewek, o nieco chudszych pniach. Udało mu się pozyskać pięć nowych pałąków. Najgrubsze dwa związał razem jednym końcem, tworząc coś w rodzaju litery A, tylko bez poprzecznej belki. Oparł konstrukcję o skałę tak, że z dwóch stron platformy znajdowały się podpórki. Jeden koniec trzeciej tyczki ułożył w miejscu, gdzie schodziły się dwie pierwsze, a drugi przymocował do wyższej gałęzi eukaliptusa tak, że wisiała ona nad legowiskiem. Dwa ostatnie pałąki przywiązał do tyczek tworzących literę A, mocując je w połowie konstrukcji, i do drzewa. Całość przypominała baldachim.

Brihony zdążyła wyciągnąć już cały bluszcz i od pięciu minut obserwowała proces budowy.

– Pomóc ci w czymś?

Beck pomyślał chwilę. Byłoby łatwiej, gdyby dziewczyna miała maczetę. Przyśpieszyłoby to pracę. Niestety mieli tylko jedną.

Beck wskazał głową wgłębienie w skale. Między platformą a ścianą jamy znajdowało się jeszcze pół metra suchej przestrzeni. Zdjął z szyi krzesiwo i podał Brihony.

– Rozpalisz tam ognisko?

– Jasne.

Brihony zabrała się do pracy, podczas gdy Beck zajął się wykańczaniem schronu. Miał już szkielet, teraz musiał zrobić dach. Postanowił, że zbuduje go z mniejszych gałązek eukaliptusa, które wcześniej poodcinał i ułożył w zgrabny stosik.

Tymczasem zerwał się wiatr sygnalizujący nadciągającą ulewę. Beck czuł mocny powiew na twarzy, targający jego włosami i ubraniem, i unoszący zapach mokrej ziemi i kamienia.

Zaczął układać pokryte liśćmi gałązki od strony zbliżającego się deszczu, opierając je na tyczkach wspierających konstrukcję. Najpierw poprowadził rządek od drzewa do skały, przywiązując gałęzie kończącymi się już powoli pnączami bluszczu. Następnie dodał drugi rządek, nakładając gałązki na poprzednich. Po skończeniu, całość przypominała grubą eukaliptusową ścianę, na tyle mocną, aby osłonić ich przed deszczem i wiatrem.

Dach nie był jednak jeszcze skończony. Od zawietrznej Beck pokrył go resztką gałązek, budując tyle zadaszenia, na ile starczyło mu materiału. Dolna połowa platformy pozostała nieosłonięta, ale od tej strony nie powinni tego zbytnio odczuwać.

Brihony zdążyła już rozpalić ognisko. Ułożyła większe gałęzie na stosiku z włókien puchowca i podpałki, który teraz palił się, trzaskając w małej wnęce skalnej. Podmuch wiatru szybko rozniecił płomień. Brihony przyłączyła się do Becka, podając mu gałązki i bluszcz, co przyśpieszyło nieco pracę. Resztkę liści eukaliptusa wykorzystali do wyścielenia legowiska, tworząc wygodniejsze posłanie.

Zerwał się deszcz. Beck poczuł na twarzy pierwsze duże, ciepłe krople. Spadały na ziemię, przylegając do niej niczym srebrzące się kleksy i leżały parę sekund, zanim powoli wsiąkły w glebę.

– W samą porę! – powiedział z uśmiechem i kiwnął do Brihony, aby weszła pod dach pierwsza.

Od nieosłoniętej strony było wystarczająco miejsca, aby wśliznąć się na legowisko. Beck założył koszulę, osłaniając się przed wiatrem, dzięki czemu od razu zrobiło mu się nieco cieplej. Zdjął z głowy bokserki i przez moment poczuł się, jakby wrócił do domu i zdejmował buty. Byli bezpieczni.

Siedzieli obok siebie, patrząc na moknący świat. Deszcz zaczął padać mocniej i w pewnym momencie zdawało się, że ktoś otworzył niebo i wylał całą znajdującą się tam wodę.

Beck spojrzał z niepokojem na prowizoryczny dach. Zaraz się przekonają, czy jest wystarczająco mocny. Woda zawsze znajdzie miejsce, przez które może przesiąknąć. Gdzieniegdzie pojawiły się, co prawda, krople, ale wystarczyło tylko nieco się przesunąć, aby nie być w ich zasięgu. Na dolnej krawędzi dachu zebrały się koraliki wody, które w ciągu paru sekund zmieniły się w strumyk.

Beck podsunął butelkę, napełniając ją spływającą wodą i zakręcił korek.

– Beck...

– Hm?

– Parę godzin temu kazałeś mi wypić mój własny mocz. – Twarz Becka poczerwieniała na dźwięk jej słów. – Chciałam tylko podziękować. *Naprawdę* było warto.

– Eee... tak. – Beck uśmiechnął się z zakłopotaniem. – Przepraszam za to. Też wypiłem swój.

– Tylko dlatego jeszcze z tobą rozmawiam.

Rozejrzeli się dookoła. Wtem w uszach zadźwięczał im huk pioruna uderzającego dokładnie przed nimi. W oddali widać było, jak świat przeszywają następne sztylety błyskawic. Jeden, dwa, trzy równocześnie.

– Nie mogę uwierzyć, że siedzimy na drzewie w środku burzy – stwierdziła Brihony.

Beck uśmiechnął się, przypominając sobie słyszaną często radę, aby *nigdy nie stać pod drzewem, gdy jest burza z piorunami.*

– Pioruny uderzają w najwyższe punkty, a w okolicy są jeszcze wyższe drzewa niż nasze. Jeśli piorun w coś uderzy, to będzie to jedno z tych drzew. Jesteśmy dość bezpieczni.

Nachylił się do przodu, aby zerknąć w dół. Byli metr nad suchą na kość ziemią, którą teraz zalewała woda, sięgająca, na oko, do kolan. Beck nie widział dokładnie, jak szybki jest jej nurt, więc zerwał liść z dachu i go zrzucił. Liść wpadł do rzeki i w mgnieniu oka został porwany przez prąd. Chłopak obserwował, jak przepływa obok drzewa. Gdyby eukaliptus też zabrała powódź, cała jego praca poszłaby na marne. Na szczęście drzewo było dobrze zakorzenione i prawdopodobnie wytrzymało już setki podobnych powodzi. „Należy przeczekać deszcz – zdawało się do nich mówić. – Deszcz minie, woda się cofnie i wszystko znów wróci do normy".

– Mam nadzieję, że jesteśmy bezpieczni – szepnął Beck.

Deszcz nie trwał długo, ale powódź utrzymywała się przez jakiś czas, więc musieli być czujni. Wyjęli z kieszeni resztki quandongów i dzwonko węża. Brihony siedziała bliżej ognia, więc na patyku podgrzała mięso nad płomieniem i podała je Beckowi.

Zostali nagrodzeni przywilejem oglądania zapierającego dech w piersiach zachodu słońca nad wyżyną Kimberley. Deszcz oczyścił powietrze, a niebo zamieniło się w lśniącą kopułę malowaną odcieniami błękitu, czerwieni i fioletów.

– Jadłam larwy i piłam mocz – powiedziała cicho Brihony, a w jej głosie słychać było podziw wywołany fluoroscencyjnymi warstwami barw migoczących w oddali. – Ale dla czegoś takiego chyba było warto.

Beck wiedział, co ma na myśli. Wiedział też jednak, że mieli dużo szczęścia. Powinien był uważać i przewidzieć burzę. Czyżby stał się lekkomyślny? Postanowił sobie, że to się już więcej nie powtórzy. Jutro wznowią poszukiwania, a on będzie skupiony w stu procentach, aby udało im się przeżyć.

Była tylko jedna rzecz, o której starał się nie myśleć, gdyż nie miał na nią wpływu. Spojrzał posępnie na padający deszcz. Każda kropla zacierała ślady pozostawione przez Pindariego. Cały ich dzisiejszy wysiłek pójdzie na marne, jeśli jutro nie będzie za czym podążać.

ROZDZIAŁ 21

Nie spali za dobrze, ledwo mieszcząc się na wąskim legowisku, które dzięki liściom stało się nieco wygodniejsze. Była to jedna z tych nocy, kiedy właściwie nie ma się pewności, czy się w ogóle zmrużyło oczy.

Beck obudził się wraz ze wschodem słońca. Gdy zszedł z drzewa, bez zdziwienia odnotował, że powódź dawno ustała, a ziemia nie jest już nawet lekko wilgotna, tylko kompletnie sucha. Przeciągnął się, rozprostowując zesztywniałe plecy i nogi, a następnie wspiął się na małe wzniesienie, aby rozejrzeć się po okolicy. Deszcz zmył kurz i Outback pysznił się wszelkimi odcieniami zieleni, czerwieni i brązu, ale chłopak patrzył na ten festiwal barw z ponurą miną. Myślał tylko o utraconym szlaku.

– Coś tak sposępniał? – zapytała Brihony, gdy wrócił do obozu.

Nie owijając w bawełnę, powiedział:

– Deszcz zmył wszystkie ślady. Nie ma szans, abyśmy teraz znaleźli Pindariego.

Przez chwilę Brihony wpatrywała się w niego w osłupieniu, potem mrugnęła parę razy i odwróciła wzrok. Beck nie wiedział, czy była to frustracja, że nie pomogą Jugunom, złość, że nie złapią bandziorów, którzy skrzywdzili Mię, czy rezygnacja, że ponownie będą musieli pokonać tę samą długą drogę.

– To niedobrze – odezwała się w końcu.

– Wszystkie znaki dla Baregi i Ganana też zniknęły. Miejmy nadzieję, że zostali na miejscu i że możemy do nich wrócić. Nie martw się jednak. Będziemy kontynuować poszukiwania Pindariego. Zajmie nam to tylko trochę więcej czasu, niż planowaliśmy.

– Cóż… Powinniśmy więc zebrać siły. – Brihony wyraźnie starała się wziąć w garść. – Co ze śniadaniem?

– Już się robi – rzucił chłopak z uśmiechem. – Widziałem baobab.

Drzewo rosło niedaleko od ich schronienia. Było wysokie i miało wybrzuszony pień tak, jakby drewno z jego środka usiłowało wyjść na zewnątrz. Zadzierając głowę, dało się dostrzec podłużne owoce przypominające bukłaki, mniej więcej rozmiaru przedramienia Becka. Pień pokrywały ułatwiające wspinaczkę rowki. Wyrastające z niego konary rozgałęziały się na górze. Tuż obok chłopaka wisiała tylko pusta szypułka. Najbliższe owoce znajdowały się poza jego zasięgiem, musiał się bardziej postarać, aby zerwać dwa z nich i rzucić je do Brihony.

Wróciwszy do obozowiska, Beck rozciął je maczetą, odsłaniając usiany pestkami kremowy w konsystencji biały miąższ. Obydwoje z przyjemnością go spałaszowali, w smaku był bowiem delikatny, lekko kasztanowaty. Z każdym kęsem chłopak czuł, że wracają mu siły i zdolność jasnego myślenia.

– Ciekawe, czy Pindari też to jadł... – wybełkotała Brihony z pełnymi ustami.

– To całkiem możliwe... – Beck nagle zamilkł. Tak, Pindari mógł się tu zatrzymać na popas. Był to jedyny baobab w okolicy, Aborygen z pewnością nie przepuścił okazji, by skorzystać ze źródła pożywienia.

Beck jęknął i uderzył się dłonią w czoło. Brihony spojrzała na niego z niepokojem, ale on rzucił się w stronę drzewa, pośpiesznie się na nie wdrapał, by przyjrzeć się szypułkom, z których sam odciął owoce – nadal były mokre od soku. Pusta szypułka, którą zauważył najpierw, była ciemniejsza i suchsza. Owocu nigdzie nie było widać; Pindari *musiał* go zjeść.

Brihony podeszła do drzewa i obserwowała go z pytającym spojrzeniem.

– Jednak deszcz nie zmył wszystkiego! – zawołał wesoło Beck, schodząc szybko na ziemię. – Pindari musi jeść. To nasz ślad!

– No tak, ale skąd mamy wiedzieć, którędy poszedł? – zapytała roztropnie Brihony. – Musimy obrać jakiś konkretny kierunek.

– Cóż, wiemy, że szedł na północny wschód, więc... – Nagle coś go tknęło, choć z początku nie mógł w to uwierzyć. *Dwie* oczywiste rzeczy były cały czas tuż pod jego nosem. – Gdy zobaczyliśmy go po raz pierwszy, znajdował się na północny wschód od nas. Jego ostatni ślad również wskazuje północny wschód. *Cały czas* kieruje się w tamtą stronę. Idzie zygzakiem, skręcając raz w lewo, raz w prawo... ale zawsze w tym kierunku.

– Czyli... – zawahała się Brihony. – Jeśli będziemy podążać na północy wschód, bacznie obserwując drzewa i krzewy mające jadalne owoce, możemy go jeszcze dogonić.

– Właśnie! – Beck z radości niemal tańczył i gotów był od razu ruszać w drogę.

– A ja myślałam, że szukanie odcisków stóp było trudne. To zajmie nam wieczność...

– Ale przynajmniej będziemy coś robić! Posłuchaj, damy sobie czas do wieczora, co? Jeszcze jeden dzień, a jeśli go nie znajdziemy, zawrócimy. Oczywiście – dodał Beck, zdając sobie sprawę, że być może Brihony ma już dość Outbacku – jeśli nie masz nic przeciwko dalszemu marszowi w upale i larwom na obiad, i eee…

Brihony wybuchła śmiechem.

– Dobrze, Beck. Jeśli dzięki temu pomożemy Jugunom i odpłacimy się bandziorom, którzy zaatakowali mamę, mogę nawet pić siuśki. Wkładaj bokserki na głowę i w drogę!

* * *

Zważywszy, że znali tylko kierunek, w którym szedł Pindari, wędrówka stanowiła dość duże ryzyko. Beck wiedział, jak utrzymać siebie i Brihony przy życiu, ale nie mógł przecież robić tego w nieskończoność. Mieli tylko jedną pełną butelkę wody, która nie starczy na długo, i żadnego jedzenia. Trzeba mieć naprawdę dobry powód, by oddalać się od cywilizacji, lecz zdaniem Becka oni go mieli: *mogli* odnaleźć Pindariego i musieli to zrobić ze względu na Jugunów, mamę Brihony i jego rodziców.

Poruszali się wolniej. Beck chciał sprawdzić każdą roślinę, z której Pindari mógł coś zerwać, a tych napotykali sporo. Krzaczek pozbawiony jagód... Łuska po owocu baobabu... Stopniowo zaczął odnajdywać kolejne ślady, choć zawsze istniało ryzyko, że pozostawiły je zwierzęta. Na pewno wiele rzeczy umknęło jego uwadze. Niemniej wciąż kierowali się na północny wschód. Ilekroć odkrywali znak wskazujący na obecność człowieka, Beck czuł, że jego serce przyśpiesza.

Jedli tak jak Pindari – mało, ale często. Chłopak nie rysował już znaków dla Ganana i Baregi. Musiał skupić się na szukaniu śladów i nie mógł się rozpraszać. Poza tym poprzedni szlak zniknął. Mężczyźni raczej nie zaryzykowali wędrówki w nieznane. Zastanawiał się, czy wrócili do obozowiska i tam na nich czekają, czy wpadli na to, żeby dogonić ich łodzią. Rzeka zakręcała na północ. Pewnie właśnie w jej kierunku teraz zmierzali...

Płytki wyschnięty wodopój stanowił pierwszy konkretny dowód na to, że są na właściwym tropie.

Wypełniony spękanym błotem okrągły dół był za głęboki, aby zmyła go nocna ulewa. Na dnie zachowało się trochę wody, jednak zamulona i pokryta brudną pianą nie nadawała się do picia. W razie potrzeby Beck musiałby po prostu wykopać nową dziurę. Nieopodal rosło drzewo, obok którego znajdowało się mniej więcej trzydziestocentymetrowe zagłębienie. Było zbyt równe i okrągłe, aby mogło je zrobić zwierzę. Musiało być dziełem ludzkich rąk. Beck przykucnął, przyglądając się mu z taką uwagą, jakby miał przed sobą klejnoty koronne.

– To robota Pindariego? – zapytała Brihony.

– Na pewno człowieka. – Beck podniósł głowę i zapatrzył się na drzewo. Według niego był to eukaliptus kamaldulski. Rękami można było objąć cały jego pień, który wznosił się na wysokość głowy, po czym nagle skręcał pod ostrym kątem.

Z połowy górnej części wyrastały grubsze gałęzie z szarozielonymi liśćmi. – I założę się, że wiem, czego szukał.

Beck zaczął rozkopywać dziurę za pomocą maczety. Jak wcześniej nie wyjął jej z pochwy. Coś poruszyło się nagle między grudkami. Beck rozgarnął ziemię nożem, gdyby okazało się, że kryje się w niej stworzonko z zębami, pazurami czy jadem, a nie to, czego oczekiwał. Ich oczom ukazała się gruba jak palec larwa, której ciało przypominało dziesięć lub dwanaście ciasno ułożonych jeden na drugim pierścieni.

– O rany! – krzyknęła Brihony. – Witchetty!

Beck uśmiechnął się na ich widok. Te białe larwy ciem były prawdopodobnie najbardziej pożywną rzeczą, jaką mogli znaleźć na Outbacku. Słyszał kiedyś, że dorosłemu mężczyźnie wystarczy około dziesięciu dziennie, aby przetrwać. Jemu w każdym razie wystarczyło. Ich lekko orzechowy smak też jest całkiem przyzwoity, zdecydowanie lepszy niż wygląd. Poza tym żerują one na korzeniach, więc usuwając je, właściwie oddaje się drzewu przysługę.

Zabrali się z Brihony do kopania, wydobywając jeszcze trzy larwy.

– Zachowamy je na później? – zapytała Brihony. – Nie bardzo podoba mi się, że będą się wiercić w mojej kieszeni.

– Możemy zjeść je teraz – odparł Beck, szczerząc zęby.

Podniósł larwę do ust. Była zbyt duża, by ją włożyć do ust w całości. Na moment się zawahał, po czym przegryzł pierścieniowate ciało. Maź, która wyciekła na jego język, przypominała pachnące stęchlizną stare masło orzechowe. Aborygeni woleli pieczone larwy, gdyż wtedy smakowały trochę jak jajka sadzone, ale lepsze to niż nic. Krzywiąc się, Beck przeżuł pierwszy kąsek i zabrał się do drugiego. Szczęki Brihony też pracowały zawzięcie.

– No więc... – rzuciła, kiedy wyraz obrzydzenia na jej twarzy już niemal zniknął. – Mimo wszystko to dość odrażające.

Beck uśmiechnął się i podał jej drugą larwę. Dziewczyna wzięła ją niechętnie, wiedząc jednak, że potrzebują każdego możliwego źródła energii.

* * *

Odnalezienie larw miało jedną wadę, o której Beck pomyślał dopiero, gdy ruszyli ponownie w drogę. Były duże i jeśli Pindari zjadł ich kilka, mógł się nimi nasycić i nie czuć potrzeby zbierania owoców. To oznaczało mniej śladów.

Rzeczywiście, szlak zdawał się znów urywać. Beck szedł od krzaka do krzaka, od drzewa do drzewa, zwiększając obszar poszukiwań do pięćdziesięciu paru metrów. Na próżno. Wziął się jednak w garść i szedł dalej, kierując się na północny wschód.

Brihony starała się zachować optymizm.

– Jak będziemy tak cały czas iść na północny wschód – zażartowała – dotrzemy do Darwinu. Chyba że nie zauważymy i wpadniemy do morza.

– Po prostu musimy uważnie patrzeć – szepnął Beck, po czym przypomniał sobie, że obiecał zakończyć poszukiwania przed zmierzchem.

Przecież nie wiedzieli nawet, czy podążają za Pindarim. Może mylił się, analizując pierwszy trop. Może to wcale nie był test, a on wcale nie jest tak bystry, jak mu się zdawało. Mógł to być przecież jakiś tubylec, który nie chciał, aby para białych dzieciaków wściubiała nos w nie swoje sprawy, albo postanowił się zabawić i wyprowadzić ich na manowce.

W południe znaleźli schronienie w cieniu drzew. Lepiej było poczekać, aż temperatura nieco spadnie. Beck czuł, że go nosi, a to niebezpieczne na Outbacku. Tu niczego nie wolno przyśpieszać ani wymuszać, jeśli chce się zostać przy życiu. W drogę ruszyli dopiero dwie godziny później.

Kontynuowali marsz, posilając się tym, co udało im się znaleźć. Gdy butelka zrobiła się za lekka, wykopali kolejną dziurę w korycie rzeki. Ich mocz był zbyt ciemny, aby mogli go wykorzystać. To też martwiło Becka, zdawał sobie sprawę, że odwodnienie stanowi tylko kwestię czasu. Słońce wisiało coraz niżej. Niedługo zacznie się ściemniać. Chłopak przyjrzał się niebu, szukając burzowych chmur na horyzoncie, ale nic nie dostrzegł.

Powinni zakończyć poszukiwania. Zatrzymać się i uzupełnić poziom wody w organizmie. Przeczekać noc, a potem, choć z bólem serca, przyznać się do porażki i wrócić do Baregi i Ganana. Mogliby po prostu kierować się na południowy zachód. Nie musieliby nikogo tropić, więc nic by ich nie spowalniało. Następnego dnia o tej porze byliby w obozowisku nad rzeką.

– Beck! – Brihony chwyciła go za rękę i wskazała coś przed sobą. – Patrz! Czy to dym?

Beck zamarł i spojrzał w dal. Faktycznie, ze wzniesienia na wprost przed nimi unosiła się cienka szara smużka. Przypominała linię narysowaną ołówkiem na tle błękitnego nieba, drogowskaz mówiący: „Tu znajduje się cel waszej podróży".

ROZDZIAŁ 22

Wszystkie myśli o tym, aby się poddać, zniknęły. Zanim jednak ruszyli, Beck postanowił uzupełnić zapas wody.

– Tata zawsze powtarzał – powiedział z uśmiechem, nie odrywając oczu od butelki, dopóki nie przestały uchodzić z niej pęcherzyki powietrza – że zazwyczaj im bardziej chcesz zrezygnować, tym bliżej celu się znajdujesz... A ja *wiedziałem*, że już prawie jesteśmy na miejscu.

– Nie *wiemy*, czy to Pindari. To, że szukamy go od rana i naprawdę chcemy, aby to był on, nie oznacza jeszcze, że go odnaleźliśmy, Beck. To może być jakiś wędrowiec – Brihony droczyła się z chłopakiem. – Albo pusta butelka zostawiona przez jakiegoś kretyna. Gdy padną na nią promienie słoneczne, działa jak soczewka. Może zaraz Outback ogarnie niekontrolowany pożar. Nie możemy niczego zakładać.

Chłopak uśmiechnął się, po czym wstał, aby sprawdzić ich położenie. Zaczynało się już ściemniać. Jeszcze godzina i zapadnie noc, a wtedy nie będzie widać dymu. Musieli tam dotrzeć, zanim zniknie.

– Północny wschód – powiedział zdecydowanym głosem. – Dobra, zakończmy to wreszcie. Idziesz?

Mimo że Beck starał się pohamować optymizm, nie mógł powstrzymać sprężystości, jakiej nabrał jego krok. Czuł się tak, jakby właśnie wyszedł na ostatnią prostą w wyścigu, kiedy to dostaje się nagle nowy zastrzyk energii, choć zdawać by się mogło, że brak już sił.

Przeszli przez jeszcze jeden wyschnięty strumyk i dotarli do lekkiego wzniesienia, gdzie czekała ich dwudziestominutowa wspinaczka. Z początku kąt nachylenia nie był duży, ale pod koniec szli już na czworakach. Na szczycie zobaczyli… cienie ciągnącego się w nieskończoność Outbacku. Zapach ogniska był jednak wyraźny, a lekka pomarańczowa poświata doprowadziła ich do jamy.

Półmrok rozjaśniało wibrujące energią ognisko. Nad trzaskającym wesoło ogniem stał rożen zbudowany z dwóch podpórek w kształcie litery A i połączonych u góry patykiem. Piekł się na nim udziec walabii[11]. Spokój obezwładniał. Beck miał wrażenie, że nogi odmawiają mu posłuszeństwa, zmusił się, by zrobić jeden krok, drugi, podejść bliżej paleniska...

Kucał przy nim, opierając całe stopy na podłożu, muskularny mężczyzna ubrany w wystrzępione obcięte dżinsy i brudny podkoszulek. Jego śnieżnobiałe kręcone włosy i broda odznaczały się na tle ciemnej skóry. Obok niego sterczała wbita w ziemię włócznia.

– Tak myślałem, że to ty, ale nie byłem pewien z oddali – odezwał się, nie spuszczając wzroku z płomieni; jego australijski akcent skrywał coś

[11] Gatunek ssaka z rodziny kangurowatych.

głębszego i starszego. – Bardzo wyrosłeś. – Beck słyszał już, jak Aborygeni rozmawiają w swoim języku. Był on śpiewny i tak szybki, że dźwięki zlewały się ze sobą. Wydawało się, że chcąc być zrozumianym, starzec specjalnie stara się mówić wolniej.

Serce Becka łomotało z radości. To *był* Pindari. Człowiek, którego szukali i który nauczył go niemal wszystkiego na temat przetrwania na pustkowiach Australii. Chciał podskoczyć i krzyknąć z podekscytowania „Tak!", ale to nie było w stylu jego mentora.

Odpowiedział, więc takim samym wyważonym tonem:

– Dlatego postanowiłeś zrobić mi mały test, wujku?

Pindari nie był oczywiście krewnym Becka, ale w jego plemieniu młodzi ludzie zwracali się do starszych, których darzyli szacunkiem: „wujku" lub „ciociu". Móc nazywać kogoś w ten sposób to zaszczyt. Gdy Beck poznał Pindariego, zwracał się do niego: „nauczycielu". Gdy mentor zaproponował mu, aby mówił do niego „wujku",

Beck poczuł się tak, jakby został obdarzony szczególnym przywilejem.

– Tylko człowiek z mojego plemienia albo ktoś przeze mnie szkolony mógł sobie z tym wszystkim poradzić – odparł Pindari. – Przypuszczam, że po deszczu podążyłeś śladami pozostawionymi przeze mnie w trakcie posiłków?

– Naturalnie, wujku. To pierwsze, co przyszło mi do głowy.

– Naturalnie. – Spojrzał na niego z żartobliwym błyskiem w ciemnych oczach i Beck zrozumiał, że Pindari dobrze wiedział, iż niemal się poddał.

– Chwileczkę! – wtrąciła się Brihony. – A, tak przy okazji, jestem Brihony. Jak to: nie był pan pewien z oddali? Gdy pana dostrzegliśmy, był pan tak daleko, że nie mógł nic zobaczyć!

Starzec przeniósł wzrok na dziewczynę.

– To było wtedy, gdy *wy* zobaczyliście *mnie*.

„Ha! A zatem widział nas już dużo wcześniej. Ciekawe, jak blisko podszedł" – zastanowił się Beck.

– Zapewne jesteś córką Mii Stewart. – Pindari kiwnął do nich dłonią. – Usiądźcie oboje. Masz nóż, Beck? Oczywiście, że tak. Poczęstujcie się.

Mięso miało ciemnoczerwony kolor i było miękkie, dzięki czemu z łatwością dało się je pokroić. Skwierczało przy tym miło i puszczało soki, których ślady pozostawały na ostrzu. Podając kawałek Brihony, Beck poczuł, jak burczy mu w brzuchu. Odciął więc też plasterek dla siebie. Nie mając pod ręką sztućców i talerza, niemożliwe było, aby zjeść cokolwiek w kulturalny sposób. Wolną dłoń podkładali więc sobie pod brodę, starając się osłonić przed ściekającym tłuszczem.

– Musicie mi opowiedzieć, jak to się stało, że się tutaj znaleźliście – rzekł Pindari, po czym dodał, podnosząc głos: – ale jeśli tych dwóch dowcipnisiów za mną zaraz nie wyjdzie, nadzieję ich na rożen jak tę walabię.

Beck i Brihony podnieśli głowy, wpatrując się w ciemność. Nic nie słyszeli.

Coś poruszyło się w mroku.

– To nie będzie konieczne, wujku – odezwał się znajomy głos.

Do ogniska podeszły dwie postaci. Brihony i Beck aż otworzyli usta ze zdziwienia.

– To wy! Jakim cudem się tu znaleźliście? – zapytała Brihony.

– Brihony. Beck. Cześć. – Barega oparł ręce na biodrach, na jego twarzy pojawił się szeroki uśmiech. – Naprawiliśmy łódź i popłynęliśmy w górę rzeki. Jej koryto tworzy dużą pętlę. Zatrzymaliśmy się jakieś czterysta metrów stąd. Zobaczyliśmy ogień i przyszliśmy, żeby sprawdzić.

Ganan, który stał obok, trzymał w dłoni plecak.

– Witaj, wujku Pindari. – Kiwnął głową w kierunku starca. – Możemy się przyłączyć?

Pindari popatrzył na nich gniewnie.

– Znacie mnie, ale ja nie znam was.

– Upłynął zaledwie rok, może dwa, wujku – odparł Barega. Okazana wrogość niemal starła uśmiech z jego twarzy. – Widywałeś nas częściej niż Becka.

– Mam powód, aby go pamiętać – wycedził chłodno Pindari. – Jest przyjacielem Jugunów. Podtrzymuje tradycje. Po cóż miałbym pamiętać kogoś, kto ucieka do świata białych przy pierwszej okazji?

Beck i Brihony wymienili nerwowe spojrzenia. Ostatnie, na czym im zależało, to kłótnia. Mieli działać wspólnie.

– To nasi przyjaciele, eee, wujku – rzekła Brihony.

Pindari uniósł brew, słysząc jej słowa, ale milczał.

– Mają ważną wiadomość dla Jugunów – dodał Beck. – Dlatego tu jesteśmy.

Pindari zastanowił się przez chwilę.

– Pamiętam was – zwrócił się do dwóch mężczyzn. Jego głos brzmiał tak, jakby raczej zdecydował się ich pamiętać, niż jakby właśnie przypomniał sobie ich imiona. – Ganan… Barega… Siadajcie. Beck, powiedz mi, o co chodzi.

– To ważna wiadomość, wujku… – zaczął Ganan.

Pindari wpatrywał się jednak w Becka, dając jasno do zrozumienia, że nie będzie słuchać nikogo innego. Ganan zamilkł i oczami dał chłopakowi znak, aby mówił.

– Przybyliśmy tu, aby dokończyć to, co zaczęli moi rodzice – powiedział Beck. – Ludzie z Lumosu chcą kupić ziemię należącą do Jugunów. Uważamy, że zrobią z nią to samo, co zrobili z ziemią Yawuru. Chcemy ich powstrzymać.

– Lumos – rzekł z zadumą Pindari. – To, co koncern zrobił Yawuru, było bardzo złe. Nie można pozwolić, aby zagarnął kolejne tereny. Znajdujemy się właśnie na skraju ziemi Yawuru, która została zanieczyszczona. Dlatego się tu zatrzymałem. Nie chciałem, abyście tam się zapuszczali. *Sam* nie lubię tam się zapuszczać. To nie jest dobre miejsce. – Pindari zadrżał na samą myśl. – Trucizna w jedzeniu i wodzie. Ziemia cierpi.

– Rodzice Becka przed śmiercią dali ci coś, wujku – wtrącił się Ganan.

– Dali mi małą plastikową rzecz, mniej więcej tej wielkości. – Dla zobrazowania Pindari rozstawił kciuk i palec wskazujący. – Ponoć jest bardzo ważna, choć dla mnie nie przedstawia żadnej wartości.

Ganan zrobił głęboki wdech, chcąc wytłumaczyć Pindariemu ideę pamięci USB, ale ten nie pozwolił sobie przerwać:

– Wiecie, nie ma tu komputerów, więc co miałbym z nią niby robić?

Beck uśmiechnął się szeroko na widok Ganana, który poirytowany wolno wypuszczał powietrze. Nie podobało mu się, że stary piernik stroi sobie z niego żarty.

– Mamy nadzieję, że zachowałeś pendrive'a, wujku – odezwał się Barega.

– Oczywiście. Jest w jaskini przodków na skraju ziemi Jugunów. – Pindari machnął krótko ręką, pokazując kierunek.

– Poczekaj, wujku. – Ganan sięgnął do plecaka i wyciągnął mapę, którą rozłożył na ziemi między sobą a Pindarim. – Czy możesz nam pokazać gdzie? Jesteśmy tutaj…

Mężczyzna wskazał miejsce palcem, a Beck zerknął na pokazywaną przez niego lokalizację.

Rzeka zakręcała, tworząc niemal okrąg. Parę kilometrów od jej rozwidlenia znajdował się wąski przesmyk, byli bardzo blisko tego miejsca.

Beck zauważył na mapie kilka prostokątów położonych w samym sercu Outbacku, co zdecydowanie nie pasowało do otoczenia. Przypomniał sobie jednak, że zanieczyszczenie spowodowane przez Lumos pochodziło z kopalni uranu. Kwadraciki musiały przedstawiać opuszczone budynki.

– Czy możesz nam pokazać, gdzie leży jaskinia? – zapytał Ganan.

Pindari rzucił mu pełne pogardy spojrzenie.

– Nie używam map.

– Ale *my* tak... – rzekł z nadzieją w głosie Barega.

– Ziemia to ziemia. Należy do siebie samej. Nie można jej zamknąć na kawałku papieru. Powiem wam, gdzie jest jaskinia. Leży u podnóża wysokiego klifu, gdzie bardzo trudno dotrzeć. Nad brzegiem wody, ale dostatecznie wysoko, aby nie zalała jej powódź.

Ganan zamyślił się i spojrzał w ciemność, w kierunku wskazanym przez Pinadriego. Następnie zerknął znów na mapę.

– Musi to być na skraju ziemi, którą chce Lumos.

– A zatem dobrze, że pendrive tam jest. Przodkowie będą go pilnować w świętej jaskini.

– Prawdę mówiąc, to swego rodzaju ironia losu – powiedział Ganan, grzebiąc w plecaku. W jego głosie słychać było kpinę.

Pindari popatrzył na niego z dezaprobatą, po czym zwrócił się do Becka. Z jego zachowania jasno wynikało, że wyłączył Ganana z rozmowy.

– Przodkowie was poprowadzą. Idźcie za włóczniami...

Nagle rozległ się przeszywający dźwięk strzału. Rozbrzmiał głośno, niesiony echem przez noc. Twarz Pindariego, jeszcze przed chwilą tak pełna życia i ekspresji, stała się zimna i bez wyrazu. Staruszek przewrócił się na ziemię, na jego koszuli pojawiła się krew.

ROZDZIAŁ 23

Beck zerwał się i podbiegł do Pindariego. Mężczyzna leżał nieruchomo z szeroko otwartymi oczami. Odszedł. Serce Becka przepełniły gniew i przerażenie, ale zmusił się do trzeźwego myślenia. Omiótł spojrzeniem obozowisko, próbując określić, skąd padł strzał. W ciemności nie mógł niczego dojrzeć. Znajdowali się całkowicie na łasce zabójcy. I nagle zrozumiał, że morderca jest wśród nich. Odwrócił się powoli.

Ganan trzymał w dłoni lśniąco czarny pistolet automatyczny. Pozostała trójka gapiła się w niego, gorączkowo zbierając myśli i usiłując zrozumieć, co właśnie zaszło. Barega też był zaskoczony, ale nie tak bardzo jak Beck i Brihony. Poza tym broń nie była wymierzona w niego.

– Nie musiałeś... – zaczął Barega.

– Zamknij się. – Ganan celował to w Becka, to w Brihony.

– Wy? – krzyknęła przez łzy Brihony. – Pracujecie dla Lumosu?

– Ma się rozumieć – odparł Ganan.

– Ile wam płacą? – zapytał cicho Beck. Jego serce waliło jak młotem. Wiedział, dokąd to wszystko zmierza. Nie było innego wyjścia. Ganan zamordował Pindariego na ich oczach. Jeśli zaraz czegoś nie wymyśli, zginą.

– Dość.

– Nie było mowy o żadnym zabijaniu. – Głos Baregi załamał się. – Mogliśmy wziąć pamięć i przekazać ją Lumosowi. Ci, tutaj, nigdy o niczym by się nie dowiedzieli!

– No cóż... – Ganan odwrócił się lekko w stronę Baregi, opuszczając nieco lufę. – Jak widać, nie do końca wszystko się ułożyło.

– Taaa... Mogłeś po prostu bez słowa dźgnąć nas nożem w plecy! – wtrąciła się Brihony, co spowodowało, że Ganan znowu wycelował w nią pistolet.

Beck, który spiął się, by na niego skoczyć, musiał zrezygnować ze swojego planu.

– Kim więc były te zbiry, które zaatakowały nas w Broome?

– To miała być tylko mała motywacja, aby pchnąć was w dobrym kierunku. – Ganan poprawił chwyt.

– *Motywacja*? – Brihony poczuła, jak wzbiera w niej wściekłość. Zacisnęła pięści i wydawało się, że zaraz rzuci się na mężczyznę. – Mogliście zabić moją mamę albo uszkodzić jej mózg. I to wszystko dla *motywacji*?

– Potrzebowaliśmy Becka, a on mimo naszych wysiłków nie chciał połknąć przynęty. Cała ta mistyfikacja na PlaceSpace, biały smok, nawet gadka o jego rodzicach. Wszystko to miało wciągnąć go w nasz plan... Ale zamierzałeś odmówić, prawda, Beck? Nie mogliśmy sobie na to pozwolić.

Beck poczuł, że wściekłość Brihony zaczyna udzielać się i jemu. Tych dwóch wcale nie obchodzili ludzie, których wykorzystali czy zranili. Liczyły się tylko pieniądze. Pamięć o rodzicach była dla niego bezcennym skarbem, ale dla nich stanowiła po prostu kolejny atut w grze.

Mimo swojego wzburzenia chłopak zauważył, że Ganan cały czas rusza lufą pistoletu, celując raz w niego, raz w Brihony. Może nie był pewny, do kogo strzelić najpierw, a może starał się po prostu zebrać na odwagę, żeby pociągnąć za spust. Ganan nie był urodzonym zabójcą. Brakowało mu praktyki. Miał nawet problemy z mierzeniem do nich, gdy coś go rozpraszało. „Proszę – pomyślał Beck – niech coś odwróci jego uwagę. Niech on przesunie pistolet, chociaż trochę…”.

Dzięki Baredze pojawiła się okazja.

– Ganan, człowieku, nie rób tego… – zaapelował do kumpla.

Ten wziął wdech, aby mu odpowiedzieć, i znów lekko się odwrócił, przez chwilę nie mierząc w nikogo.

Beck zerwał się, jednym zwinnym ruchem wyciągnął maczetę z pochwy i uderzył nią w nadgarstek Ganana. Użył tępej strony ostrza, aby nie okaleczyć, a jedynie wytrącić broń. Niemniej cios był tak silny, jakby użył żelaznego pręta. Mężczyzna zawył i upuścił automat. Jego twarz wykrzywiła się z bólu. Beck miał nadzieję, że udało mu się złamać rękę. Co teraz? Podniósł pistolet i rzucił go w ciemność. Za słabo… Upadł tuż koło stóp Baregi.

Sytuację uratowała Brihony. Podczas gdy Ganan nadal wił się w agonii, ściskając nadgarstek, Brihony podniosła coś z ziemi, podbiegła do mężczyzny i wrzuciła mu to za kołnierz.

– Zobaczymy, czy wygrasz z ptasznikiem!

Słysząc to mrożące krew w żyłach słowo, Beck poczuł, że oblewa go zimny pot. Ptasznik jest najjadowitszym z australijskich pająków. Jego ukąszenie powoduje niesamowite męczarnie.

– Zabierz go! – wrzasnął Ganan. – Wyjmij go! – Ogarnięty paniką, zaczął ściągać koszulkę, a Barega podbiegł, aby mu pomóc.

– Chodź! – Brihony rzuciła się biegiem w przeciwną stronę.

Beck zawahał się, próbując zlokalizować pistolet.

– No chodźże!

Uświadamiając sobie, że nie ma na to czasu, ruszył za Brihony. Gdy oddalili się na tyle, że mężczyźni nie mogli ich dostrzec w blasku ognia, obejrzał się za siebie. Gananowi udało się wreszcie ściągnąć koszulkę i teraz po niej skakał.

– Mógł cię ukąsić.

Brihony dźgnęła go palcem w ramię.

– To była tylko ziemia. *Udawałam*, że to pająk.

Beck uśmiechnął się szeroko. Sypiący się po plecach piasek jako włochate odnóża pająka... Nie mogli jednak rozkoszować się tym widokiem zbyt długo. Nie było wątpliwości, że za chwilę mężczyźni rzucą się w pogoń.

Biegnąc, Beck zrozumiał, że ucieczka na nic się nie zda. Bandyci mają dłuższe nogi i prędzej czy później ich dopadną. Poza tym nadal są uzbrojeni. Musieli postawić na spryt.

Chwycił dziewczynę za ramię, dając jej znak, aby zwolniła. Choć w mroku prawie się nie widzieli, zauważył, że spojrzała na niego, jakby oszalał. Niebo, jak zwykle, usiane było gwiazdami, ale na dole wszystko zdawało się szarawe i niewyraźne. Mężczyźni mogli ich dostrzec jedynie w blasku Drogi Mlecznej. Beck pociągnął Brihony w dół, aby kucnęła. Przyczajeni obserwowali obozowisko.

Ganan i Barega krążyli, nie wychodząc poza obręb światła. Próbowali dostrzec coś w ciemności. Byli tak zajęci „pająkiem", że nie zauważyli, którędy pobiegli Beck z Brihony. W końcu Ganan wyciągnął coś z plecaka. Niedługo potem czerń przebiły dwa snopy światła.

Beck zacisnął w dłoni mały kawałek skały. Gdy tylko mężczyźni odwrócili się w drugą stronę, podniósł się szybko i wziął zamach. Starając się nie wydać przy tym żadnego dźwięku, bo nocą głos łatwo się niesie, rzucił kamień najmocniej, jak potrafił, w kierunku obozu. Upadł z łoskotem. Barega i Ganan natychmiast wycelowali latarki w tamtą stronę. Beck słyszał, jak rozmawiali, ale nie mógł rozpoznać słów.

– Chodźmy – powiedział cicho.

– Nie możemy tak cały czas… – wyszeptała Brihony.

– Nie będziemy.

Doszli właśnie na skraj wąwozu i zaczęli schodzić. Posuwali się ostrożnie, tak żeby nie poruszyć jakichkolwiek kamieni, które staczając się, mogłyby zaalarmować ich wrogów, i żeby nie potknąć się o coś i nie skaleczyć. Nie mieli latarki, a zresztą i tak by jej nie użyli. Musieli znaleźć dobrą kryjówkę.

W końcu Beck dojrzał to, czego szukał: gęsty zagajnik przy dużej skale. Uklęknął obok i maczetą próbował znaleźć przejście. Jakiś głos z tyłu głowy krzyczał, że chyba oszalał, jeśli zamierza schować się w spowitych ciemnościami krzakach, gdzie może czaić się cokolwiek! Być może kolejna mulga... Nie miał jednak wyboru. Jeśli rzeczywiście jakieś stworzenie tam było, miał nadzieję, że maczeta je odstraszy, zanim zdecyduje się sprawdzić, co za irytujący ssak stoi pod drugiej jej stronie.

Wszedł w krzaki, a Brihony podążyła za nim. Leżeli parę centymetrów od siebie. Twarz Brihony zdawała się biała jak śnieg. „Zbyt biała" – pomyślał

Beck. Sam pewnie wyglądał tak samo. Każdy, kto popatrzyłby w tym kierunku, z łatwością by ich dostrzegł.

– Czekaj – szepnął, po czym splunął na palec, wsunął go w ziemię i tak powstałe błoto rozsmarował na buzi Brihony, a potem swojej. – Kamuflaż – wyjaśnił. – Załamuje linie. Mózg człowieka jest zaprogramowany tak, aby dostrzegać twarze.

Głosy mężczyzn to przybliżały się, to oddalały. Po jakiś trzydziestu minutach usłyszeli je jednak wyraźnie. Potem mrok wąwozu rozjaśniły dwa snopy światła. Nad ich głowami tańczyły cienie. Zamarli.

– Masz coś? – Ganan znajdował się całkiem niedaleko ich kępy krzaków. Jego głos był nieprzyjemny, szorstki.

– Nic. Nadal nic. – Barega stał prawie nad nimi. – Pogódź się z tym, Ganan. Są już kilometry stąd.

Ganan zaklął siarczyście.

– Dobra. Koniec. Zostawimy ich na pożarcie dingo. Nie wydostaną się stąd żywi.

– Pindari chyba wierzył, że Beck potrafiłby dać sobie tu radę.

– Pindari był starym głupcem, który wierzył, że jego przodkowie nawiedzają jaskinię – powiedział z pogardą w głosie Ganan, a Beck poczuł, że krew się w nim gotuje. – Nie interesuje mnie, co myślał. Wracajmy na łódź. Prześpimy się w przyzwoitych warunkach, jaskini poszukamy za dnia.

Barega odwrócił się, a światło podążyło za nim, przywodząc na myśl Beckowi latarnię morską. Wkrótce usłyszeli oddalające się kroki, potem po spadających kamieniach rozpoznali, że mężczyzna wspina się po zboczu.

Beck i Brihony nie ruszali się z miejsca. Leżeli w zagajniku, dopóki ciemności nie zaczęły ustępować pierwszym promieniom słońca.

* * *

Gdy słońce wyszło nad horyzont, ostrożnie wrócili do obozu. W świeżych barwach nowego dnia promienie rzucały na ziemię ich długie cienie. Pindari leżał tam, gdzie upadł. Beck uklęknął przy nim i sprawdził tętno na szyi staruszka, ale nic nie wyczuł. Musiał zginąć na miejscu. Beck cieszył się, że oszczędzono mu bólu spowodowanego zdradą ze strony pobratymców. Równocześnie jednak przepełniał go niewymowny żal, że ktoś, kogo tak kochał i szanował, odszedł na zawsze.

– Dorwiemy ich – szepnęła Brihony, a w jej głosie słychać było pogardę. – Potrafisz wyprowadzić nas stąd na łono cywilizacji, prawda? Nagłośnimy to. Powiemy wszystkim…

– To będzie nasze słowo przeciwko ich słowu – rzekł Beck. – Wiem, że wuj Al nam uwierzy i zrobi, co w jego mocy, ale ludzie z Lumosu wyprą się wszystkiego i po prostu sprawią, że Ganan i Barega znikną.

Na twarzy Brihony pojawił się wyraz rozpaczy.

– A więc to koniec? Mamy wrócić do domu z pustymi rękami i po prostu zapomnieć?

– Nie. – Beck podniósł się powoli i spojrzał na horyzont. – Wrócimy do domu z USB.

– Ale jak? Ci dwaj…

– Ci dwaj są na łodzi, która musi zostać na rzece, a ta, jak pamiętasz, jest dość kręta. – Beck zamknął oczy i w wyobraźni próbował przypomnieć sobie szczegóły z mapy. – Muszą obrać dłuższą trasę, ale my możemy pójść w poprzek.

– Ziemia jest zatruta – zaoponowała dziewczyna.

– Potrafię zadbać, abyśmy byli bezpieczni – zapewnił ją Beck.

– A potem?

– Znajdziemy drogę powrotną i zrobimy wszystko, aby odpowiedni ludzie zobaczyli to, co jest na USB.

– Czy na pewno dasz radę utrzymać nas przy życiu?

– Zrobię wszystko, co w mojej mocy – odparł z uśmiechem Beck.

Na twarzy Brihony pojawił się błysk nadziei, ale mimo to zauważyła:

– Pindari powiedział, że trudno jest się dostać do jaskini.

– Tak, ale nie jest to niemożliwe. Czy myślisz, że *on* miał łódź? Musi dać się tam dotrzeć i drogą wodną, i lądową.

– Nie wiemy gdzie.

– Wiemy, że jaskinia znajduje się zaraz nad brzegiem rzeki, tam... – Beck wskazał w kierunku, który pokazał im poprzedniej nocy Pindari. Siedział wtedy naprzeciwko niego, a staruszek wskazał dokładnie nad jego ramieniem.

– No to mamy mniej więcej kierunek...

– Nie. – Beck nie mógł powstrzymać uśmiechu. Czuł, jak wzrasta w nim pewność siebie. – Potrafisz wyobrazić sobie Pindariego mówiącego o czymś w kategoriach *mniej więcej*? Znał Outback jak własną kieszeń. Jeśli wskazał ten kierunek, to chodzi dokładnie o ten kierunek. Ja siedziałem tutaj, a Pindari pokazał... – Powoli zwrócił się twarzą w stronę, w którą mieli podążyć. – Jaskinia jest tam. – Piętą narysował linię. – Chodźmy po to USB.

ROZDZIAŁ 24

Zebranie najpotrzebniejszych rzeczy nie zajęło im dużo czasu. Pindari miał ze sobą butelkę, więc zyskali drugi pojemnik na wodę. Oprócz tego znaleźli przy nim dużą skórzaną torbę, prawdopodobnie zawierającą cały jego dobytek. Ziemia, przez którą zamierzali iść, była zatruta, więc nie mogli ryzykować jedzenia ani picia tam czegokolwiek. Wszystko musieli zabrać ze sobą. Beck pokroił więc nogę walabii. Mięsa starczy im na kilka dni.

Została do zrobienia jeszcze jedna rzecz. Pindari.

Stojąc nad ciałem swego mentora, Beck przełykał łzy. Nie chodziło tylko o to, że stracił przyjaciela. Nie była to też wściekłość czy szok wywołane bezdusznym morderstwem, którego byli świadkami. Czułby się, bowiem tak samo w obliczu śmierci każdego innego człowieka. Życie jest przecież wartością szczególną. Wraz z Pindarim umarło *tak wiele*, tyle mądrości, doświadczenia. Beck wiedział, że zginął naprawdę wielki człowiek, a wraz z nim przepadła kopalnia wiedzy.

Pindari leżał zgięty wpół, z otwartymi szeroko oczami. Beck nie znał rytuałów pogrzebowych Aborygenów. Co powinien zrobić? Nie mieli łopaty, aby wykopać grób, a kopanie dołu maczetą lub patykiem w twardym podłożu zajęłoby wieczność. Strata czasu, a tego Pindari nie lubił najbardziej.

Brihony podeszła i stanęła obok Becka, kładąc mu dłoń na ramieniu. Po chwili odezwała się drżącym z przejęcia głosem.

– Umarł w miejscu, które najbardziej kochał.

Beck skinął w milczeniu głową. Odpowiedziała mu właśnie na jego pytanie. Pindari należał do tej ziemi i ta właśnie ziemia teraz domagała się zwrotu swojej własności. Ciało wywęszą dingo albo inne stworzenia. Pindari nie chciałby jednak, aby odnalazły go w takiej pozycji. Beck uklęknął więc i delikatnie odwrócił go na plecy, wyprostował nogi i skrzyżował ręce na piersi. Na końcu zamknął mu powieki.

Brihony obserwowała go cały czas.

– Nigdy wcześniej nie widziałam zmarłego.

– Duch Pindariego już dawno odszedł. To są tylko jego ziemskie szczątki.

Beck wyciągnął wbitą w ziemię włócznię i włożył staruszkowi w dłonie. Teraz jego ciało było już gotowe przyjąć to, co przyniesie los z godnością i dumą.

Beck podał Brihony butelkę, którą dzielili od czasu wypadku na rzece, a sam zabrał butelkę Pindariego. Następnie zarzucił sobie skórzaną torbę na plecy i podniósł w górę zegarek, aby sprawdzić, gdzie znajduje się północ. Spojrzał na linię narysowaną na piasku. Kierunek, który obrali, był oddalony o pięć minut od linii północ–południe.

– Chodźmy – rzucił, nie oglądając się za siebie.

* * *

W końcu dotarli do miejsca otoczonego prawie z każdej strony przez rzekę, co tworzyło charakterystyczną pętlę. Bez względu na to, którędy by podążyli, i tak doszliby na skraj wody. Dużo trudniejszym zadaniem okazało się odnalezienie klifu, o którym wspomniał Pindari. Beck sprawdzał położenie co pięć minut, aby upewnić się, że idą w dobrą stronę.

Zbliżali się do terenów zatrutych przez Lumos. Chociaż budynki należące do kompleksu kopalń, które Beck widział wcześniej na mapie, były jeszcze daleko, a oni sami nie mieli zamiaru podchodzić bliżej, wpływ ich obecności wyczuwało się wszędzie. Pierwszy tego dowód znaleźli, gdy podeszli do wyschniętego koryta.

Każda rzeka czy strumyk, które do tej pory widzieli, niosły ze sobą nowe życie. Spomiędzy kamieni na dnie wyrastały drzewa i krzaki, utrzymywane przy życiu przez wodę wsiąkającą w glebę. Tu jednak było inaczej. Dookoła nie żyło nic.

Jedyne, co przetrwało, to przyczepione do skał wyschnięte szczątki roślin. Mimo że od czasu katastrofy przeszło kilka pór deszczowych i spadło sporo świeżej wody, z powodu zatrutej gleby nic nowego tu nie wyrosło i nie miało wyrosnąć już nigdy. Ludzie z Lumosu zabili tę ziemię, tak samo jak zabili Pindariego. Wszystko, co było wyjątkowe i jedyne w swym rodzaju, zostało... zniszczone. Sam fakt takiego marnotrawstwa zrodził w sercu Becka gniew.

Przypomniał sobie zdjęcia, które Ganan pokazał mu na iPadzie w magazynie w Broome. Wydawało się, że było to dawno temu, podczas gdy w rzeczywistości minęły trzy dni. Ganan nie kłamał w kwestii wpływu zanieczyszczeń, co czyniło jego zdradę jeszcze bardziej nikczemną. Dobrze wiedział, dla kogo pracuje, i wciąż brał od nich pieniądze.

Beck ponownie sprawdził kierunek, po czym ruszyli przez wyschnięte koryto.

– Myślisz, że powietrze będzie radioaktywne? – zapytała cicho Brihony.

Chłopak potrząsnął przecząco głową.

– Powietrze jest niesione wiatrem, a pęknięciu uległy zbiorniki wodne, pamiętasz? W tych zbiornikach znajdowały się toksyny, które spowodowały zatrucie wszystkiego, co znalazło się w ich zasięgu, okoliczne tereny, zwierzęta tam żerujące, i tak dalej. Wniknęły w glebę, zatruwając roślinność... Powietrze jednak pozostało czyste.

– Możemy ulec skażeniu przez buty – zauważyła Brihony.

– Jesteśmy cały czas w ruchu. Nie ma takiej możliwości.

W miarę jak zapuszczali się coraz dalej, roślinność stawała się bardziej wyschnięta i brązowa, kruszyła się przy najmniejszym dotknięciu. Baobaby i eukaliptusy, które wcześniej dawały im schronienie i pożywienie, teraz przypominały pozbawione liści i owoców drewniane szkielety. Ich kora była sucha i łamliwa. Beck chciał dźgnąć jedno z drzew maczetą, aby sprawdzić, jak głęboko jest w stanie je nakłuć, ale zmienił zdanie. Bał się, że może je przewrócić. Byłby to tylko kolejny akt wandalizmu, a tego zdecydowanie nie chciał.

Coś jednak nie dawało mu spokoju i wisiało nad nim niczym ciemna chmura. Być może czuł cierpienie ziemi. Szedł w milczeniu, próbując rozgryźć, co go trapiło.

Wtem, wspinając się na niewielkie wzniesienie, Brihony potrąciła stopą parę kamyczków, które głośno stoczyły się po zboczu. Beck aż podskoczył z przerażenia i wtedy zdał sobie sprawę, co go męczyło. *Cisza.*

Na wyżynie Kimberley zawsze słychać było jakieś odgłosy. Szelest w koronach drzew i krzewów poruszanych wiatrem. Ćwierkanie ptaków. Brzęczenie owadów machających skrzydełkami lub pocierających nóżkami. Tutaj panowała grobowa cisza. Być może dlatego, że to był *grób*.

Beck narzucił im mordercze tempo. Chciał jak najszybciej wydostać się z tej strefy śmierci. Poza tym Ganan i Barega zmierzali w tym samym kierunku. Mężczyźni mogli, co prawda, wybrać dłuższą drogę i wyruszyć później, ale ich łódź miała silnik.

Kilka razy musieli się zatrzymać, aby odpocząć, w przeciwnym razie byłoby to samobójstwo.

Nie mogli przecież dotrzeć do jaskini odwodnieni czy osłabieni z głodu. Ich przerwy trwały jednak tylko kilka minut. Siadali na chwilę na wysokiej skale, która nie była skażona toksynami, łyk wody, kęs mięsa i ruszali dalej. Jedyne, co mogli zrobić, to uparcie podążać naprzód i mieć nadzieję, że dotrą na czas.

Późnym popołudniem znaleźli się na skraju wąwozu. Zatrzymali się i popatrzyli w dół. Stali na krawędzi klifu z czerwonego piaskowca, który opadał do położonej pięćdziesiąt metrów niżej rzeki. Beck zerknął w lewo i w prawo, ale nie zauważył śladu łodzi.

– Jesteśmy pierwsi? – zapytała Brihony.

Beck uśmiechnął się lekko, ale wiedział, że nie może dać się ponieść emocjom.

– Wydaje mi się, że tak…

Brihony popatrzyła w dół, a na jej twarzy pojawił się niepokój.

– Dasz radę?

– Nie mam wyboru. Mogę liczyć jeszcze na coś do zjedzenia i łyk wody?

– Jasne. Musimy mieć siłę.

Brihony przeszła wzdłuż krawędzi klifu, Beck zajął się przewieszoną na plecach torbą.

– Jesteś pewny, że to jest to miejsce?

– W tę stronę na pewno wskazywał Pindari – odparł Beck. Miał pełne zaufanie do swych umiejętności nawigacyjnych i precyzyjnych instrukcji Pindariego.

– To gdzie schodzimy?

– Poszukajmy dobrego miejsca.

Popijając wodę, Brihony przeszła wzdłuż krawędzi, sprawdzając zbocze klifu. Wtem zatrzymała się parę metrów dalej od Becka i spojrzała w dół wąwozu. Zaraz potem przykucnęła.

– Hej, Beck, patrz!

– Co, znalazłaś znak: „Schodzić tędy"? – Beck podbiegł bliżej.

– Coś w tym stylu. Widzisz?

Beck uklęknął obok. Po chwili aż zagwizdał z podziwu.

W skalnej ścianie wyrzeźbiona była postać, której zarys tworzyły głębokie na centymetr bruzdy przypominające wcześniej tropione przez nich ślady. Gdy patrzyło się na nie wprost, trudno było cokolwiek dostrzec, ale spoglądając pod kątem, widać było mozaikę malowaną grą światła i cieni. Wyżłobienia tworzyły wizerunek postaci wymachującej włócznią, która do złudzenia przypominała tę pozostawioną przy ciele Pindariego.

Patrząc na postać, miało się wrażenie, że jest ona częścią skały. Jej linie pokrywały się z krawędziami kamienia tak, jakby twórca celowo chciał ją wtopić w nieposkromioną przyrodę Outbacku. Musiała liczyć tysiące lat.

Włócznia wskazywała prosto na skraj klifu.

– Pindari powiedział, abyśmy szli za włóczniami, pamiętasz? – zauważyła Brihony.

– Powinniśmy więc tak zrobić…

ROZDZIAŁ 25

Z początku Beck nie dostrzegł nic nadzwyczajnego w miejscu, które wskazywała włócznia, ale zanim zdecydował się ruszyć dalej, wyjrzał jeszcze za krawędź klifu. Poniżej znajdował się występ. Miał taki sam czerwonawy kolor jak piaskowiec i gdy patrzyło się na niego pod kątem, niemal stapiał się ze skałą. Był łagodnie nachylony, ale tak wąski, iż ledwo mieściły się na nim stopy.

– Nie możemy tędy zejść! – przeraziła się Brihony.

– Musimy przesuwać się ostrożnie twarzą do ściany. Gdybyśmy odwrócili się plecami, to odpychalibyśmy się od niej pośladkami. Pójdę pierwszy.

– Mogę ci coś poradzić, Beck? – powiedziała Brihony, kiedy przykucnął na skraju klifu i powoli opuścił najpierw jedną, a później drugą stopę.

– No? – Chłopak przesunął się nieco, aby zrobić jej miejsce.

– Gdy spotkasz kiedyś kogoś wyjątkowego, no wiesz jakąś dziewczynę, która naprawdę ci się spodoba, i będziesz chciał ją gdzieś zabrać...

– Tak?

Brihony zaczęła się opuszczać – przez chwilę podtrzymywała się jedynie na rękach, aż wreszcie dotknęła stopami półki.

– Nie zabieraj jej w takie miejsce. Nie spodoba jej się.

– Dzięki. Postaram się zapamiętać...

Powoli, centymetr po centymetrze, zaczęli się przesuwać. Ściana była chłodna i gładka. Próbując zgiąć nogi, Beck oparł się kolanami o skałę i prawie stracił równowagę. Musieli kierować kolana maksymalnie na zewnątrz i jak najszerzej rozstawiać stopy oraz ręce. Było to wyczerpujące fizycznie i psychicznie; wkrótce zaczęły boleć ich powykręcane nienaturalnie stawy. Z każdym krokiem znajdowali się coraz niżej, ale nie wiedzieli, jak nisko już zeszli. Choć chłopak próbował, nie dał rady odkręcić głowy. Mogli tylko iść dalej.

I nagle prawa stopa Becka zawisła w powietrzu.

Zachwiał się.

Nieporadnie wpił się palcami w skałę, kiedy Brihony przytrzymała go za koszulkę. Gdy już zdołał bezpiecznie stanąć obiema stopami na półce, zerknął w dół. Od ziemi dzieliło ich nie więcej niż pięć metrów.

– Obawiam się, że będziemy musieli teraz zejść po ścianie…

– OK, nie ma sprawy – mruknęła Brihony przez zaciśnięte zęby.

Na pionowym odcinku przemieszczali się równolegle. Choć Beck mógłby pokonać go w o połowę krótszym czasie, między skałą a rzeką u podnóża klifu nie było wystarczająco dużo miejsca, aby cofnąć się i pokierować Brihony jak wcześniej. Tylko dostosowując swoje tempo, mógł pomóc dziewczynie.

Pięć minut później stali na przybrzeżnych głazach.

– Myślisz, że są tu krokodyle? – zapytała Brihony.

– Wątpię. Żadne inne zwierzę nie byłoby na tyle głupie, aby tędy schodzić, więc to miejsce nie powinno kojarzyć się z pożywieniem.

– Mam nadzieję, że masz rację. No dobra. Co teraz?

– Nie wiem. Szukamy jaskini? Albo włóczni...

Rozeszli się. Po chwili Brihony znalazła kolejną płaskorzeźbę. Tym razem włócznia celowała w niebo. Beck zadarł głowę i zobaczył wgłębienie w ścianie, jakieś trzy metry powyżej. Nie był pewien, czy jest to jaskinia, czy może coś innego. Z góry zakrywała ją przewieszka skalna, więc nie dało jej się dostrzec ze szczytu.

– Musimy znów się wspiąć... – jęknęła Brihony.

– Tak, ale niedaleko. Pójdę pierwszy i sprawdzę.

Podczas gdy chłopak się wspinał, dziewczyna splotła ręce i bacznie obserwowała taflę wody, na wypadek gdyby jednak jakiś krokodyl postanowił tu zajrzeć. Po chwili Beck dotarł do krawędzi wnęki, która okazała się ciemną jamą prowadzącą w głąb skały. Spojrzał w dół na Brihony i szeroko się uśmiechnął.

– Bingo!

Dziewczyna odpowiedziała mu takim samym uśmiechem, po czym podeszła do skały. Radość z odkrycia musiała dodać jej skrzydeł, bo wspięła się prawie tak samo szybko jak Beck. Stojąc przed wejściem do jaskini, czuli powiew chłodnego powietrza dobiegającego z miejsca całkowicie osłoniętego przed słońcem.

– Pindari pewnie nie miał latarki?

Beck zaczął przeszukiwać kieszenie torby, aż w końcu wyczuł metalowy walcowaty przedmiot.

– Wygląda na to, że miał. – Włączył latarkę. – Jest różnica między umiłowaniem tradycji a ignorowaniem nowoczesnych technologii tylko dlatego, że jest się upartym.

Ruszyli przed siebie. Podłoże wznosiło się nieco w górę, a ściany coraz bardziej się zwężały.

W pewnym momencie Beck poczuł, że głową lekko dotyka sklepienia.

Po paru krokach, gdy było już bardzo ciasno, korytarz nagle skręcił. Wyjrzeli za róg, a Beck poświecił latarką w głąb wnęki. Aż zagwizdali z wrażenia.

Olbrzymia komora wielkości domu kształtem przypominała gigantyczną dynię. Sklepienie podtrzymywał naturalny kamienny filar, a ściany od dołu do góry zostały pokryte malowidłami w odcieniach czerwieni i brązu. Wyglądały tak świeżo, jakby powstały zaledwie poprzedniego dnia. Postaci ludzkie z włóczniami polowały na stada rozmaitych zwierząt. Były z reguły mniejsze niż w rzeczywistości, aczkolwiek na filarze od strony wejścia znajdowały się wizerunki dwóch większych osób wymachujących włóczniami i broniących wstępu. W miejscu, gdzie ściana zakręcała i wybrzuszała się, rysunki wydawały się ożywać.

Beck i Brihony mieli wrażenie, że znaleźli się we wspaniałej świątyni. Chłopak był przekonany, że to absolutnie wyjątkowe miejsce. Malarstwo naskalne Aborygenów spotyka się w całej Australii, ale ta jaskinia stanowiła unikat. Każdy z pewnością chciałby to zobaczyć. Każdy miał prawo to zobaczyć. To dziedzictwo kulturowe Australii.

– Beck… – powiedziała Brihony zduszonym głosem, przyglądając się jednemu z wizerunków. Grupa myśliwych otoczyła zwierzę, które Beck natychmiast rozpoznał. Tyle że łowcy wyglądali przy nim jak karzełki. – To kangur olbrzymi krótkopyski…

– No widzę.

– Nie, tak się nazywa. *Procoptodon goliah*, kangur olbrzymi krótkopyski. To przedstawiciel australijskiej megafauny. Naprawdę dużych zwierząt, które żyły tysiące lat temu. Wszystkie już wymarły.

Beck przypomniał sobie, że Al dostał nagrodę za coś związanego z tym tematem. Ciekawe, co by pomyślał o tym miejscu?

– Mierzył trzy metry – kontynuowała Brihony. – A ten tutaj gigantyczny nielot to *Dromornis australis*. – Beck podążył wzrokiem za jej palcem. Przypominający dodo ptak górował nad atakującymi go ludźmi. – Beck, przedstawiciele megafauny wyginęli przynajmniej czterdzieści tysięcy lat temu. Jeśli te rysunki namalowali ludzie, którzy je rzeczywiście widzieli…

Beck gwizdnął. Rysunki były niesamowicie stare.

– Pindari mówił prawdę. Jeśli pendrive jest tutaj, to faktycznie pilnują go przodkowie.

– No, tak. Gdzie on może być…

Beck rozejrzał się po wnętrzu jaskini. Malowidła robiły wrażenie, ale skoro czekały już czterdzieści tysięcy lat, mogły poczekać jeszcze trochę. Gdzie może być pamięć USB? Wodził latarką po skałach, rozświetlając miejsca, które od wielu tysięcy lat pogrążone były w ciemności. Obchodząc filar, znaleźli za nim kręty korytarz prowadzący do wnętrza ziemi. Malowidła ciągnęły się jeszcze przez parę metrów, dalej była już tylko goła skała. W pewnym momencie szczelina stawała się tak wąska, że nikt nie dałby rady się przez nią przecisnąć. Chłopak miał nadzieję, że to nie był schowek... Zastanowił się, czy nadal nie powinni podążać za włóczniami. Ale na jednej tylko ścianie dostrzegł ich ze trzydzieści, skierowanych w różne strony.

Zrezygnowani wrócili do wejścia. Beck zapatrzył się na naturalnej wielkości postacie na filarze. Uzbrojeni we włócznie mężczyzna i kobieta patrzyli na nich. Dzida z lewej przechylała się nieco w prawo, a z prawej – w lewo. Gdyby narysować linie od szpiców, spotkałyby się... Beck naprowadził światło na punkt przecięcia i przyjrzał mu się bliżej. Dostrzegł tam cień małego wgłębienia.

– Potrzymaj...

Chłopak podał Brihony latarkę, aby przyświeciła mu tam, gdzie będzie szukać. Starając się nie naruszyć dłonią ani stopą żadnego z malowideł, wspiął się, aż znalazł się tuż pod cieniem. Nisza miała szerokość zaciśniętej pięści. Nie widział jednak, jak była głęboka. Delikatnie włożył do niej maczetę, na wypadek gdyby okazało się, że nawet w tak świętym miejscu czai się coś jadowitego...

Beck żałował, że nie jest w stanie zajrzeć do środka. Profilaktycznie uderzył o ściany kilka razy ostrzem, które wydało metaliczny *brzęk*. Wtem, ów *brzęk* zamienił się w *stukot*, wskazujący, że natknął się na coś, co nie było skałą. Za pomocą ostrza przyciągnął to coś do krawędzi wnęki. Po chwili na jego dłoń wypadł gładki prostopadłościanik wielkości jego małego palca. Zdecydowanie liczył sobie mniej niż czterdzieści tysięcy lat.

– Tak! – Beck zeskoczył na ziemię. – Dzięki, Pindari!

Wtem oślepiło ich światło dwóch latarek. Zamarli.

– O, tak. – Odezwał się znajomy głos. – *Dzięki*, Pindari!

Ganan i Barega weszli niepostrzeżenie do środka. Barega rozglądał się dookoła z nieskrywanym podziwem, podczas gdy Ganan skupił się na Becku i Brihony. W drugiej ręce trzymał wymierzony w nich pistolet.

ROZDZIAŁ 26

Niesamowite... – szepnął Barega, podświetlając latarką kolejne malowidła. – To najbardziej... najbardziej...

– Przestań już, Barega – warknął Ganan. – Beck, poproszę o to USB.

– Jak stare jest to miejsce? – Barega zdawał się go nie słyszeć. – Musi mieć...

– Czterdzieści tysięcy lat – przerwała mu Brihony.

– Niesamowite...

– Beck! – krzyknął Ganan. – USB!

Beck spoglądał z wahaniem to na pistolet, to na pendrive'a.

– Weź go sobie.

Ganan nauczony doświadczeniem wolał trzymać się z daleka i wycelował w twarz Brihony.

– Policzę do pięciu, a potem panna Stewart straci głowę. Jeden, dwa, trzy…

– Dobra! Dobra! – Pendrive wylądował obok stóp Ganana.

Mężczyzna uśmiechnął się i z powrotem skierował broń w stronę Becka. Chłopak spojrzał we wlot lufy i czuł, jak serce zaczyna mu bić coraz szybciej.

– Rzuć maczetę. No już – polecił Ganan.

Nóż z brzdękiem uderzył o ziemię.

Ganan uśmiechnął się z zadowoleniem.

– Mamy rachunki do wyrównania, dzieciaku. – Położył palec na spuście.

Beck zamknął oczy, ale zaraz je otworzył i wpił wzrok w bandytę. Jeśli miał zginąć, to tylko patrząc śmierci w twarz.

Mężczyzna przygryzł lekko wargę.

– Odwróć się.

– Możesz to zrobić, patrząc na mnie – odparł Beck przez zaciśnięte zęby.

– Powiedziałem, *odwróć się*! – Ręka Ganana drżała, a jego oddech był ciężki.

– Żeby ułatwić ci sprawę? Nie sądzę.

Beck nie próbował uciekać, od razu dostałby kulkę w plecy. Zaczął zastanawiać się, czy poczuje coś, zanim nabój go zabije.

Brihony jęknęła, chłopak nie wiedział, czy z przerażenia, czy z gniewu, i nagle rzuciła butelką prosto w twarz Ganana. Zagrzmiał wystrzał. Huk spotęgowało jeszcze echo w jaskini. Mężczyzna zatoczył się do tyłu i zaklął, a Beck poczuł świst przelatującego obok jego głowy pocisku. Brihony chwyciła go za rękę i pociągnęła w kierunku wyjścia. Blokował je Barega, więc zawrócili.

Nie mieli dokąd uciekać.

Mężczyźni nie musieli ich nawet gonić.

Biegli w stronę wąskiego korytarza, kiedy oślepiło ich światło latarki. Ganan zaszedł ich od drugiej strony. W ciemności Beck zauważył błysk lufy pistoletu.

– Zmarnowaliśmy już wystarczająco dużo czasu – oświadczył mężczyzna.

– Nie, czekaj! – zawołał znienacka jakiś głos za ich plecami tak, że aż obydwoje podskoczyli. Z ciemności wyłonił się Barega. Sprawiał wrażenie, jakby dopiero do niego dotarło, że za chwilę zostanie tu popełnione morderstwo. Przecisnął się obok Becka i Brihony i stanął naprzeciwko Ganana. – Tego nie było w planie! Nie było mowy o żadnym zabijaniu! Nie za to nam zapłacili!

Ganan przewrócił oczami.

– Po raz ostatni mówię: przestań! Co się może stać? To miejsce zostanie zamienione w kopalnię, kapujesz? Zostanie zrównane z ziemią, a my będziemy *bogaci*!

– Ale... ale... – zająknął się z rozpaczą Barega. – Ale Juguni i to miejsce... i...

– Juguni mają wybór. Albo wyjdą wreszcie z epoki kamienia łupanego, albo staną się wymarłym gatunkiem – odpowiedział ostro Ganan, opuszczając nieco pistolet. – Jeśli zniszczenie tego miejsca pomoże im podjąć decyzję, wyświadczymy im tylko przysługę.

Beck już miał skoczyć, kiedy mężczyzna się opanował i wymierzył prosto w niego.

– Nie! – krzyknął Barega i rzucił się na Ganana dokładnie w momencie, gdy ten pociągnął za spust.

Odgłos strzału odbił się echem po całej jaskini, zagłuszając świst wyrzuconego naboju. Mężczyźni zaczęli się siłować, zataczając się niczym para pijaków. Beck spojrzał na siebie, nie do końca wierząc, że jeszcze żyje. Ogarnięty nagłym uczuciem paniki, zerknął na Brihony, niepewny, czy nie została trafiona. Dziewczyna jednak była cała i też z niedowierzaniem spoglądała to na siebie, to na niego.

– Uciekajmy póki są zajęci sobą – szepnęła.

Beck kiwnął głową.

Ruszyli wolno wzdłuż ściany, starając się trzymać z dala od szamotaniny. Wtem rozległ się drugi strzał. Barega i Ganan zamarli, jakby ktoś nagle wyłączył muzykę, do której tańczyli swój pijany taniec. Ganan opadł bezwładnie w ramiona

Baregi, który nie zdołał jednak go w porę złapać. Ciało upadło, uderzając głucho o ziemię. Niczym marionetka, której ktoś odciął sznurki. Na koszulce pojawiła się ciemnoczerwona plama. Oczy pustym wzrokiem spoglądały na sklepienie.

Barega zrobił krok w tył, trzymając w trzęsącej się ręce pistolet. Następnie rzucił się do wyjścia z jaskini i wydając z siebie bezsłowny, niemalże zwierzęcy krzyk, cisnął z całej siły pistoletem w przepaść. Broń wpadła z cichym pluskiem do wody.

Barega wrócił do jaskini, oddychając ciężko. Beck delikatnie pchnął Brihony w jedną stronę, podczas gdy sam poszedł w drugim kierunku, zakładając, że jeśli mężczyzna miałby ich zaatakować, będzie mu trudniej, gdy się rozdzielą. Ten uklęknął jednak obok ciała Ganana. Jego ramionami wstrząsnął szloch.

– Nie skrzywdzę was – powiedział po chwili zalany łzami łamiącym się głosem. – Weźcie łódź i wracajcie do domu. Pokażcie wszystko światu – podniósł pendrive'a i rzucił w stronę Becka – a potem przyślijcie po mnie policję.

– Policję? – Beck zerknął na klęczącego mężczyznę. – Nie idziesz z nami?

Barega potrząsnął przecząco głową.

– Muszę pogodzić się z moimi przodkami. Idźcie stąd. Proszę…

Brihony i Beck spojrzeli po sobie. Beck podszedł do Baregi i położył mu dłoń na ramieniu, po czym razem z Brihony ruszyli do wyjścia. W dole zobaczyli przycumowaną łódź z załatanym dziobem. Barega nawet się nie poruszył. Cały czas klęczał ze spuszczoną głową przy ciele człowieka, którego zabił. Beck odwrócił się i podążył za Brihony do wyjścia.

EPILOG

Lśniący czerwony autobus zatrzymał się z piskiem przed centrum informacji turystycznej. Pasażerowie wolno przesuwali się wzdłuż przejścia w kierunku drzwi. Brihony i Beck czekali w towarzystwie policjanta, który został im przydzielony do ochrony po ich powrocie do Broome. Nagle na twarzy Becka pojawił się szeroki uśmiech. Zaczął machać do wuja, który właśnie wysiadał. Al odmachał i ruszył w ich stronę, ciągnąc za sobą walizkę.

– Dobrze cię widzieć, chłopcze. – Objął mocno Becka, po czym podał dłoń policjantowi. – Zajmę się już nimi, dzięki. Weźmiemy taksówkę.

Policjant uśmiechnął się i zostawił ich samych. Gdy tylko funkcjonariusz się odwrócił, Al dał Beckowi szturchańca.

– Au!

– To za to, że byłeś na tyle szalony, aby zapuścić się na Outback w towarzystwie pary nieznajomych i narazić się na niebezpieczeństwo i... i... Na miłość boską, chłopcze, czy widzisz, ile mam już siwych włosów?! Czy chcesz, żebym osiwiał do reszty?!

– No więc, powiedzieli mi...– Beck urwał w połowie zdania. Wcześniej przez telefon przedstawił już Alowi wszystkie fakty. *Starał* się w nic nie mieszać. To nie jego wina, że mężczyźni go okłamali i namówili, aby z nimi pojechał. Wuj jednak miał prawo się martwić i być wściekły.

Al objął Becka ramieniem i choć nadal był zły, Beck wiedział, że mu przebaczył.

– A to zapewne Brihony. – Al podał dziewczynie rękę.

– Tak. Mama zmyła mi już głowę, więc nie musi się pan fatygować.

Al uśmiechnął się.

– Cóż, chodźmy więc się z nią przywitać.

* * *

– Wiesz, ile substancji chemicznych to coś zawiera? – zapytał Beck.

Brihony zacisnęła usta na słomce, pijąc shake'a ze szpitalnego sklepiku, po czym potrząsnęła przecząco głową i pociągnęła ostatnich parę kropel.

– Nic mnie to nie obchodzi. – Oblizała usta. – Jeśli tylko wioząca to ciężarówka przejechała obok krowy, jest to wystarczający kontakt z naturą jak dla mnie. Nigdy więcej larw i sików!

– Kochanie, proszę cię! – zawołała Mia Stewart.

Siedzieli właśnie w jej pokoju w klinice. Kobieta czuła się już na tyle dobrze, aby móc usiąść na łóżku i przyjmować gości, jednak czekało ją jeszcze kilka dni obserwacji.

– Zaczyna się – zakomunikował Al i wycelował pilotem w telewizor.

Na ekranie pojawiło się logo kanału informacyjnego, a z głośników popłynęła melodia zapowiadająca rozpoczęcie wiadomości. Prezenter przeszedł od razu do tematu dnia.

– *Przedstawiciele koncernu Lumos zaprzeczyli jakimkolwiek powiązaniom z działaniami dwóch pracowników...*

– Taaa, oczywiście! – krzyknęła Brihony.

Beck zmarszczył brwi. Miał już wcześniej do czynienia z tego typu korporacjami. Za każdym razem znajdowały jakieś wyjście, a karani byli tylko nic nieznaczący ludzie. Spodziewał się tego, ale mimo wszystko czuł żal. Ktoś zapłacił Gananowi i Baredze. Ktoś zdecydował, że za realizację planów Lumosu warto zabić. Dobrze byłoby zobaczyć, że ten ktoś też został pociągnięty do odpowiedzialności.

– *Domniemywa się, że jeden z mężczyzn zginął w trakcie bójki ze swoim towarzyszem, który współpracuje obecnie z policją i zgodził się poddać karze sądu plemiennego...*

– Super! – zawołały Mia i Brihony.

– Ale o co chodzi? – zapytał Beck.

– O aborygeński system sprawiedliwości – wytłumaczył Al. – Tutejsze sądy oparte są na tradycji europejskiej, czyli białego człowieka. Sądy plemienne zaś opierają się na tradycji Aborygenów. Barega wróci do swojej społeczności i będzie sądzony przez starszyznę. To ona zadecyduje o odpowiedniej karze. Pewnie będzie to praca na rzecz Jugunów.

– A więc nie pójdzie do więzienia? – zdziwił się Beck.

– Więzienie to wymysł europejski. Uwierz mi, dla kogoś takiego jak Barega o wiele trudniejsze będzie stawić czoło współbraciom. Ganan nie mógłby być tak sądzony, gdyż popełnił morderstwo, ale w przypadku Baregi jest to możliwe, ponieważ powiedzieliśmy, że chciał mu przeszkodzić. Oficjalnie nie jest mordercą, a jedynie człowiekiem, który popełnił błąd.

– A teraz przejdziemy do kolejnej szokującej wiadomości. Odkrycia prawdopodobnie największego zbioru prehistorycznych malowideł naskalnych spośród dotychczas znalezionych w Australii. Połączymy się teraz z naszym reporterem…

Dziennikarz stał na łodzi na środku rzeki. Nad nim było widać paru mężczyzn schodzących właśnie po ścianie prowadzącej do wejścia jaskini.

– *Właśnie otrzymaliśmy informację – mówił podekscytowany do mikrofonu – że premier potwierdził, iż rząd wystąpi z oficjalnym wnioskiem o wpisanie jaskini i otaczającego ją terenu na Listę Światowego Dziedzictwa Kulturalnego i Przyrodniczego UNESCO. Naturalnie, jeszcze jest za wcześnie, aby mówić o tym głośno, ale jeśli chociaż malutka część tego, co słyszeliśmy o wnętrzu jaskini, okaże się prawdą, wówczas nie będzie to podlegać dyskusji…*

Na twarzy Becka pojawił się uśmiech od ucha do ucha. Spojrzeli po sobie z Alem, który wyglądał na tak samo zadowolonego. Jeśli jaskinia zostanie wpisana do rejestru UNESCO, znajdzie się pod stałą ochroną i nawet miliardy Lumosu nie będą w stanie tego zmienić. Bo to byłoby tak, jakby ktoś chciał wyburzyć Stonehenge pod centrum handlowe. Po prostu nie ma takiej możliwości. Ziemia Jugunów była bezpieczna. Beck czuł, że Pindari jest bardzo zadowolony. Być może nawet się uśmiecha.

– Nie mogę się doczekać, aby zobaczyć wnętrze jaskini – powiedział w zamyśleniu Al. – Z tego, co słyszałem, potwierdza wszystkie moje teorie. – Beck przypomniał sobie nagrodę, którą Al odebrał w Darwinie i która była główną przyczyną ich przyjazdu. – Starałem się udowodnić, że przodkowie Aborygenów i przedstawiciele megafauny żyli razem dłużej, niż się dotąd uważało.

– Jednak i tak w końcu doprowadzili do jej wymarcia – zauważył Beck.

– Owszem – zgodził się z poważną miną Al. – To brutalny fakt, ale nie można go zamieść pod dywan. Nigdy nie jest za późno, aby zacząć uczyć się na błędach.

W telewizji reporter przekazał głos do studia.

– *Wracając do głównego tematu dnia...*

„Tak – pomyślał smutno Beck. – Wróćmy do głównego tematu dnia". Zasadniczym problemem było to, że gdzieś tam znajdowali się ludzie, których głównym celem było wykorzystywanie innych osób i kultur oraz kradzież pieniędzy. Nie obchodziło ich, kogo będą musieli skrzywdzić, aby dostać to, czego chcą, ani jakimi kłamstwami będą musieli się posłużyć. Beck dużo ostatnio myślał na ten temat. Wiedział, że zły człowiek potrafi sprawić, aby fałsz wyglądał na prawdę. Ganan i Barega przedstawili mu historie będące częściowo tym i tym. Prawdą była historia o zanieczyszczeniu i o tym, że Lumos chciał zagarnąć ziemię Jugunów. Kłamstwem ich plan walki z korporacją. Gdzieś między tymi opowieściami pojawił się wątek śmierci rodziców Becka. Czy było to kłamstwo, czy prawda?

W tym momencie Beck był pewny jedynie dwóch rzeczy: że Pindari i jego rodzice byliby z niego dumni i że wraz z prehistorycznymi malowidłami pojawiło się też coś jeszcze cenniejszego, a mianowicie wiedza dotycząca życia tej ziemi.

I za to właśnie Beck był wdzięczny swoim rodzicom i Pindariemu.

PORADNIK SURVIVALOWY BEARA GRYLLSA

Jak znaleźć wodę

W trakcie wędrówki przez Outback Beck musiał ostrożnie racjonować zapasy wody, bowiem znalezienie cennego płynu na tego typu obszarze często stanowi wyzwanie. Przy sprzyjającej pogodzie można zebrać deszczówkę. Jeśli zostanie nabrana do czystego pojemnika, zwykle nie trzeba jej przed spożyciem oczyszczać. Co jednak zrobić, jeżeli nie ma w pobliżu żadnego źródła wody ani nie zanosi się na opady? Na szczęście wodę można znaleźć nawet na najbardziej suchych terenach. Po prostu trzeba wiedzieć, gdzie szukać. Jeśli się nad tym zastanowić, jest to dość sensowne, gdyż wszystkie formy życia, łącznie z roślinami, potrzebują wody, aby przeżyć. Gdy w okolicy widać roślinność, niedaleko musi być też źródło wody. Pozyskać ją można na dwa sposoby.

Naziemny słoneczny aparat destylacyjny

Działanie naziemnego słonecznego aparatu destylacyjnego opiera się na zasadzie kondensacji. Biorąc prysznic, można zauważyć, że ciepła para osadza się na zimnej szybie okna czy na lustrze, zamieniając się z powrotem w wodę. Aparaty destylacyjne wykorzystują to zjawisko, przy czym okno zastępuje plastikowa torba, a rączkę prysznica – roślina.

Aby skonstruować aparat, wypełnij przezroczystą reklamówkę do trzech czwartych nietrującymi roślinami zielonymi, a następnie mocno ją zawiąż. Torbę połóż na słońcu. W trakcie fotosyntezy (procesu przemiany dwutlenku węgla w tlen i wodę), liście zaczną wydzielać parę, która po zetknięciu się z plastikiem zamieni się w gotową do zebrania wodę. Warto przygotować kilka takich aparatów – jeden nie wytworzy wystarczającej ilości wody.

Podziemny słoneczny aparat destylacyjny

Podziemny słoneczny aparat destylacyjny również działa w oparciu o zasadę kondensacji i stanowi dobry sposób na pozyskanie wody z ziemi, która – jak wiadomo – zawiera w sobie wilgoć.

Aby skonstruować aparat, wykop dół o średnicy około metra i głębokości około sześćdziesięciu centymetrów. Do środka włóż czysty pojemnik (wcześniej zrób małe wgniecenie, aby upewnić się, że będzie stać pionowo). Jeśli masz kawałek rurki, umieść jeden jej koniec w zbiorniku, a drugi na zewnątrz dziury. Dzięki temu, aby się napić, nie będzie trzeba wyciągać aparatu. Dół nakryj folią (powinna zwisać na mniej więcej czterdzieści centymetrów), a jej końce przygnieć kamieniami, ziemią lub piaskiem. Na środku folii, bezpośrednio nad pojemnikiem, połóż kamień. Wilgoć z ziemi skropli się na spodzie folii i ścieknie prosto do pojemnika. Tak jak poprzednio, im więcej skonstruujesz takich aparatów, tym więcej wody otrzymasz.

WARTO WIEDZIEĆ

Aby uzyskać więcej wody, warto połączyć oba aparaty destylacyjne – wykop nieco większy dół i wyściel go nietrującymi roślinami zielonymi. Można też nasiusiać na ziemię obok pojemnika – będzie ona jeszcze wilgotniejsza. W wyniku kondensacji woda obecna w moczu zamieni się w czystą wodę pitną.

O AUTORZE

Bear Grylls od zawsze kocha przygody. Alpinista, odkrywca, ma czarny pas w karate. Przeszedł szkolenie w brytyjskich oddziałach specjalnych SAS, gdzie nauczył się sztuki przetrwania. W wieku 21 lat przeżył ciężki wypadek podczas skoku spadochronowego – złamał kręgosłup w trzech miejscach. Mimo to po dwóch latach rehabilitacji zrealizował swe dziecięce marzenie i jako najmłodszy Brytyjczyk w historii stanął na szczycie Mount Everestu. Wyczyn ten odnotowano w *Księdze rekordów Guinnessa*. Jest znany dzięki swym fascynującym wyprawom oraz programom, które przed telewizorami gromadzą ponad miliard widzów w 150 krajach.

Pazury krokodyla to piąta część ekscytującej serii dla młodzieży *Misja: przetrwanie*, autorstwa mistrza survivalu, Beara Gryllsa.

Tytuł oryginalny: *Claws of the crocodile*
Autor: Bear Grylls
Tłumaczenie: dr Agnieszka Kocel, Kancelaria LingLex
Redakcja: Maria Białek
Korekta: Katarzyna Zioła-Zemczak
Skład: Jerzy Najder
Ilustracja na okładce: Tomasz Tworek
Projekt graficzny okładki: Marcin Pytlowany
Zdjęcia: Discovery s. 287
Mapy: Jacek Majerczak

Redaktor prowadzący: Agnieszka Skowron
Redaktor naczelna: Agnieszka Hetnał

Ta książka jest fikcją literacką. Jakiekolwiek podobieństwo do rzeczywistych osób, żywych lub zmarłych, autentycznych miejsc, wydarzeń lub zjawisk jest czysto przypadkowe. Bohaterowie i wydarzenia opisane w tej książce są tworem wyobraźni autora bądź zostały znacząco przetworzone pod kątem wykorzystania w powieści.

Bielsko-Biała 2015
Wydawnictwo Pascal sp. z o.o.
ul. Zapora 25
43-382 Bielsko-Biała
tel. 338282828, fax 338282829
pascal@pascal.pl, www.pascal.pl

ISBN 978-83-7642-579-5

Wydrukowano na papierze Creamy 70 g dostarczonym przez Zing Sp. z o.o.